Pirate rouge

Du même auteur, dans la même collection :

Sorcière blanche

Anne-Marie Desplat-Duc
Illustrations de Raphaël Gauthey

Pirate rouge

RAGEOT

Cet ouvrage a été imprimé sur un papier
issu de forêts gérées durablement,
de sources contrôlées.

Couverture : Raphaël Gauthey.

ISBN 978-2-7002-3385-8
ISSN 1951-5758

Les boucaniers

1

J'ai connu un début d'existence assez misérable.

Mon père a été emprisonné à Rennes pour avoir écrit des pamphlets contre Louis XIV. Il a, de plus, dilapidé sa fortune au jeu. Ma mère, ma sœur Agathe et moi avons vécu dans une masure bâtie contre les remparts de la ville. Curieusement, j'en garde un bon souvenir[1].

J'étais libre et, jusqu'à la tombée de la nuit, je courais les ruelles, chapardant ici et là des pommes, du pain et tout ce qui était comestible. Je traînais dans les tavernes où, en échange de quelques sols[2], d'un pot de bière ou d'une galette de sarrasin, je balayais ou je lavais les chopes de

1. Lire *Sorcière blanche*.
2. Un sol : vingt deniers. Vingt sols : une livre.

terre ou d'étain. J'écoutais les récits des marins, des voyageurs de passage, des commerçants, des artisans, des artistes venus d'autres contrées. Je ne m'en lassais pas. Je crois bien que ce sont les aventures de tous ces inconnus qui ont forgé mon caractère et qui ont fait de moi ce que je suis aujourd'hui.

Lorsque je regagnais notre taudis, je me disais : « Moi aussi, un jour, je partirai loin, très loin ! »

Las, l'hiver 1671, ma sœur et moi tombâmes gravement malades.

Notre tante, la sœur de notre mère, vint nous chercher pour nous conduire à trente lieues[1] de Rennes dans son château de Kercado.

Elle nous éleva aussi bien que ses deux enfants Camille et Constant et nous oubliâmes la faim et le froid. Cependant, je n'avais rien de commun avec Constant qui aimait les livres, la poésie et le théâtre mais détestait se battre. Les leçons de l'abbé Brentano étaient de véritables supplices et je préférais cent fois les récits entendus à la taverne à ceux des Évangiles.

Agathe se plia sans difficulté à notre nouvelle existence. Une vive affection la lia à mon oncle et à ma tante. Elle n'avait que sept ans à notre arrivée et elle avait encore besoin d'être maternée.

1. Une lieue égale quatre kilomètres.

J'en avais dix et j'avais soif de liberté. En dehors des heures de classe obligatoire, où j'appris, bon gré mal gré, à lire, à écrire et à parler latin, je m'échappais dès que possible pour courir la campagne. J'appris avec les enfants des fermiers à poser des collets pour attraper des lièvres, des belettes ou des écureuils. Souvent je traversais la lande balayée par le vent et je marchais jusqu'à cette pointe de terre que Constant nous avait fait découvrir et d'où l'on voyait la mer. Je ne me lassais pas de son spectacle et je rêvais de la parcourir pour aller quérir l'or et les pierres précieuses du Mexique ou d'ailleurs.

Et puis l'année de mes dix-huit ans, nos parents réapparurent.

C'était un matin de printemps.

Je m'en souviens comme si c'était aujourd'hui.

Mon père prononça trois mots qui me laissèrent à penser que mes rêves pouvaient devenir réalité : voyage, Caraïbes, fortune ! Il venait me sortir de la médiocrité dans laquelle je végétais pour me transporter dans un monde d'aventures, d'exotisme et de richesse ! Immédiatement, il devint mon héros.

Contrairement à ma sœur qui larmoya en se séparant de ma tante et de mon oncle, je n'eus aucune peine à quitter Kercado où je m'ennuyais.

Rapidement, je m'aperçus que mon père n'avait rien de commun avec mon oncle. Autant celui-ci était sérieux, calme, terre à terre, autant mon père était drôle, impulsif, rêveur. Son caractère me séduisit. Sans doute parce qu'il était proche du mien.

Il me parla comme si j'étais un adulte, m'associant à ses projets et m'affirmant que, bientôt, nous serions si riches que nous aurions la même existence dorée que les plus grandes familles du royaume.

Je le crus.

À Saint-Domingue, je fus déçu de constater que la plantation de canne à sucre qu'il avait achetée avec son associé Nicolas de Théroulde n'était pas aussi vaste qu'il l'avait prétendu. Mais il m'assura que nous achèterions rapidement des terres avoisinantes afin de quadrupler la production.

En fait, il s'occupait peu de l'exploitation. Il disait à son associé :

– Mon cher Nicolas, je vous fais entièrement confiance !

Et il passait son temps dans les tripots de Cap-Français. Je l'accompagnais puisqu'il était mon père et mon modèle. Il m'apprit à jouer aux cartes et à tricher, à boire aussi car ces trois activités allaient de pair.

Comme dans les tavernes bretonnes, j'écoutais les récits des marins, des corsaires, des flibustiers. Il y avait de terribles histoires de batailles, d'abordages, de luttes sanglantes, mais aussi de mystérieux récits de trésors perdus, engloutis par la mer et qui n'attendaient que d'être retrouvés.

Nous n'étions jamais pressés de regagner le carbet[1] sans confort où ma mère pleurait sur son sort et où je lisais dans le regard de ma sœur qu'elle désapprouvait mon mode de vie.

Cinq mois à peine après notre installation, mon père nous annonça un soir qu'il rentrait en France. Seul.

Ma mère supplia, pleura, mais il nous expliqua si bien son beau projet de solliciter auprès du roi la charge de gouverneur d'une de ces îles paradisiaques qui pullulent dans l'océan qu'elle ne trouva aucun argument pour s'y opposer.

– Ce n'est l'affaire que de trois ou quatre mois. Six au plus, décréta-t-il.

Et puis qu'aurait-elle pu faire ? Personne ne résistait au beau langage de mon père et à son sourire enjôleur.

Même moi, il me posséda.

J'avais pourtant tissé avec lui des liens d'homme à homme. Enfin, c'est ce qu'il me semblait. Il me servit le même conte qu'à ma mère, ajoutant toutefois que lorsqu'il serait en possession de cette charge, je deviendrais son bras droit et qu'ensemble nous ferions de grandes choses.

1. Grande case collective.

Il me glissa une bourse de cuir dans la main et, m'adressant un clin d'œil complice, il murmura :

– Tâche de faire fructifier cet argent en attendant mon retour.

Je l'attendis donc.

Pas longtemps à dire vrai. Je compris vite qu'il ne reviendrait pas. Ou alors pas aussi vite qu'il l'avait prétendu.

Le petit pécule qu'il m'avait donné avait disparu dans le jeu et la boisson. Il n'y avait pas d'autres distractions. Je me rendis rapidement compte que, dans cette île, quand on n'était pas issu d'une riche famille de planteurs on n'était invité à aucune fête... À peine nous considérait-on comme une caste au-dessus de celle des esclaves. J'allais retomber dans la misère qui avait été la mienne quand je traînais dans les rues de Rennes.

Cette vision me fut intolérable.

Je devais m'en sortir. Et puisque mon père nous avait, une fois de plus, abandonnés, je cherchai seul une solution à ma malheureuse condition.

Dans les premiers temps, je me contentai d'aider à décharger les cargaisons des navires qui s'amarraient le long des quais. C'était un travail pénible et qui ne convenait pas à mes ambitions, mais il me donnait l'occasion de bavarder avec les équipages et d'apprendre tout ce qui se passait sur Saint-Domingue.

Ce qui m'intéressait le plus était les histoires de pirates. Leurs aventures, l'étendue de leurs richesses, leur liberté, me fascinaient. C'était cette vie-là qui me faisait envie et non la morne existence qui était la mienne.

Je n'eus bientôt plus qu'une obsession : rejoindre leurs rangs !

Un jour, lassé des basses besognes, je mis mes plus beaux habits pour « jouer au riche » en déambulant sur les quais. Je vis alors arriver deux boucaniers venus proposer leur viande séchée à un vaisseau français. L'un des deux me parut aussi jeune que moi et, je ne sais pourquoi, nous échangeâmes un souris[1].

Je connaissais leur existence. Ils vivaient en petites tribus à l'est de l'île dans des cabanes plantées au milieu des bois. C'étaient d'anciens flibustiers, d'anciens esclaves marrons[2], des colons ruinés. Il y avait des Français, des Espagnols, des Anglais, des Indiens, des Noirs. Eux aussi avaient dû rêver de richesse et de liberté… On disait qu'une grande solidarité les unissait. On les appelait les frères de la côte. Ils vivaient chichement, échangeant leur viande séchée contre des armes, des munitions, de l'alcool, parfois des vêtements lorsque les leurs étaient en loques.

1. Souris : ancien mot pour sourire.
2. Déformation du mot espagnol cimarron qui signifie « sauvage ». L'esclave marron a retrouvé sa liberté dans une fuite qu'il veut définitive.

Le plus âgé s'adressa à l'officier qui comptabilisait les caisses que des portefaix descendaient dans la soute. C'était, la veille, mon activité. L'officier lui jeta un regard méprisant et lui répondit :

– Passe ton chemin. Je n'en veux pas, de ta viande pourrie !

– Aucun capitaine ne s'est jamais plaint de la qualité de notre viande, répliqua le boucanier en posant une main sur l'énorme pistolet coincé dans sa ceinture de cuir.

– Je n'en veux pas ! se buta l'officier.

– Il ne vous en coûtera qu'un baril de tafia[1].

Je suppose que l'officier était un gentilhomme embarqué depuis peu. Il ne connaissait ni les îles ni leurs coutumes et encore moins l'honneur chatouilleux des boucaniers.

– Ôte-toi de là ! Tu pues la charogne ! reprit-il en saisissant dans sa manche un mouchoir parfumé qu'il se passa sous les narines.

Cette altercation allait mal tourner. Il suffisait que le boucanier tire sur l'officier pour que, des tavernes alentour, des dizaines d'hommes sortent pour lui prêter main-forte tandis que les marins et militaires du vaisseau voleraient au secours de l'officier. Ce serait le carnage ! Et j'étais au milieu.

Je défroissai mon habit du plat de la main et bombai le torse. On m'avait souvent affirmé

1. Alcool tiré des mélasses de canne à sucre.

que je faisais plus vieux que mon âge, c'était le moment d'en profiter. Prenant une voix ferme, je m'adressai à l'officier :

– Il s'agit effectivement d'une bonne viande que s'arrachent les vaisseaux qui quittent Cap-Français.

– Qui es-tu, toi, pour oser me donner un conseil ?

– Je suis intendant sur *La Glorieuse* et c'est à cet homme que j'achète la viande avant de lever l'ancre. C'est la seule à se conserver plusieurs mois et, lorsque la traversée est longue, elle permet de ne pas mourir de faim.

L'officier réfléchit un instant, puis déclara à contrecœur :

– D'accord, descendez la marchandise dans la cale, je vous donnerai un bon pour un baril de tafia.

– Je l'achète pour deux barils ! assurai-je.

L'officier hésita puis grogna :

– Va pour deux barils !

Lorsque les boucaniers remontèrent de la soute, le plus jeune s'arrêta à mon côté et me dit :

– Merci. S'entre-tuer pour quelques quartiers de viande, c'est pas chrétien !

– Je suis de ton avis.

– T'es un fameux négociateur ! Viens avec nous, on boira à ta santé ! me proposa le plus âgé.

Je tapai dans la main qu'il me tendit.

— On m'appelle Debrest, poursuivit-il, c'est là que je suis né et lui c'est Lalune.

— Moi, c'est Josselin. Je viens de Bretagne.

Le prénommé Lalune ne pipa mot. Il portait un chapeau informe enfoncé jusqu'aux yeux et dont les bords ombrageaient si bien son visage que je distinguais à peine le bas de ses joues et son menton.

En passant à la taverne, Debrest échangea son bon contre deux barils de tafia qu'il lança chacun sur une épaule comme s'il se fut agi de tonnelets de cinq pintes[1]. Il lut l'étonnement dans mon regard car il pérora :

— Ah, c'est qu'y a pas de femmelettes chez les boucaniers !

J'avais envie de lui répondre que son collègue ne me paraissait pas plus costaud que moi, mais je me tus car, justement, en jetant un coup d'œil au jeune homme, je vis qu'il n'était pas à l'aise.

— Y a même pas de femmes du tout, claironna-t-il, on n'en a pas besoin ! On cuisine et on reprise aussi bien qu'elles. Et pour le reste…

Il éclata d'un rire énorme qui me fit découvrir sa bouche édentée où seuls subsistaient quelques chicots noirs et il termina :

— Y a les filles des tripots. Pas farouches. On les prend, on les laisse… Y a jamais d'histoire !

1. Une pinte égale 0,93 litre.

Et toi qui tu es ? L'intendant de *La Glorieuse* je le connais et c'est pas toi.

— C'était une menterie[1] pour que cet idiot prenne votre viande.

— Tu as de la répartie, c'est un atout dans la vie.

Il me sembla que si je leur annonçais que j'étais le fils d'un planteur, je perdrais tout crédit à leurs yeux, aussi je continuai dans la fable :

— J'étais officier sur un navire français. Le capitaine était un incapable. J'ai déserté.

— Si on te retrouve, tu seras mis aux fers, me dit Lalune.

— Oui, aussi j'ai besoin de me faire oublier.

— Chez nous, c'est la cachette idéale. Personne ne viendra t'y chercher, m'assura Debrest.

Et c'est ainsi que j'entrai chez les boucaniers.

---

1. Menterie, fable, signifient mensonge.

2

Debrest me proposa de partager la cabane où il vivait avec Lalune.

– C'est provisoire, m'annonça-t-il. Si tu restes, tu t'en bâtiras une.

L'habitation était des plus sommaires. Par comparaison, le carbet du sieur Théroulde faisait figure de palais ! À dire vrai, c'était plutôt une hutte de planches, dont le toit était couvert de feuilles de palmier. Il n'y avait qu'une pièce avec une entrée sans porte et une petite ouverture sans fenêtre. Une table bancale, deux chaises et, dans un coin, deux paillasses à même le sol de terre battue, étaient le seul mobilier. Par contre, il me parut que l'ensemble était propre. Pas une immondice ne traînait, la table était nettoyée et aucune mauvaise odeur ne se dégageait des paillasses. J'en fus agréablement surpris car, sans doute à cause de l'éducation reçue chez ma tante, la saleté me répugnait.

Debrest me fit faire la tournée des cabanes pour me présenter à la vingtaine d'hommes qui constituait le village. Force me fut de constater que les autres cabanes n'étaient point aussi nettes que la sienne. Dans certaines, la crasse et les déchets entassés sur le sol me soulevèrent le cœur. Il me fallut pourtant boire dans des pots d'étain, de terre ou parfois d'argent qui n'avaient jamais eu de contact avec l'eau claire.

– À ta santé, le nouveau! me disait-on en me donnant une violente claque dans le dos.

– Les amis de Debrest et Lalune sont nos amis! m'assurait-on.

– T'es pas très costaud, remarqua un colosse noir en me tâtant le bras.

– Sans doute, mais je suis résistant et rapide.

– On verra ça à l'usage.

– Je suis pas plus grand et fort que lui, plaida Lalune.

– Toi, c'est pas pareil, t'es des nôtres depuis toujours, alors…

Comme je ne sentais pas l'assistance convaincue par mes capacités, j'ajoutai :

– Et puis, je sais lire et écrire… même le latin.

Un long silence accueillit mes paroles. Ils me jaugèrent un moment. Il devait leur paraître étrange qu'en ayant de l'instruction je me retrouve parmi eux.

– Après tout, c'est toi qui choisis ! me dit Debrest. On ne te force pas à rester et si tu es là c'est que tu ne peux pas être ailleurs.

Cette sage réflexion les fit tous opiner de la tête.

– Savoir lire, ça peut être utile, conclut le colosse.

Et je fus adopté.

J'appris à chasser le cochon et le bœuf sauvages. Ce n'était pas trop compliqué. Il y en avait beaucoup. Deux coups de mousquet bien ajustés et l'animal s'écroulait. Je n'étais pas maladroit et la franche camaraderie qui régnait entre les boucaniers était agréable. Lorsqu'on me proposa de boire le sang chaud du premier cochon que j'avais occis, j'eus un haut-le-cœur. Les boucaniers, eux, s'en régalèrent. J'eus peur de les avoir fâchés. Heureusement, je vis que Lalune n'était pas plus friand que moi de cette gourmandise et cela me rassura.

– Les jeunots sont délicats, se moquèrent quelques hommes.

Mais ce fut tout.

Ensuite on m'enseigna comment dépecer l'animal, étirer sa peau, puis la sécher. On me montra comment couper la chair en lanières, la saler, puis la déposer sur des claies nommées barbacos sous lesquelles on allumait un feu.

Dès le premier soir, Debrest m'avait demandé d'installer ma paillasse à l'opposé des leurs. Je pensais que c'était une façon de me montrer que je n'étais encore que « le nouveau » et non un véritable boucanier. J'acceptai de bonne grâce.

De temps en temps, je rentrais à la plantation. J'avais un peu de honte à avoir abandonné ma mère et ma sœur aux mains du sieur Théroulde. Mais les jérémiades de ma mère éplorée par le départ de mon père m'agaçaient. Elle aurait voulu que je m'occupe d'elle et de son retour en France. C'était au-dessus de mes forces. Elle nous avait si lâchement abandonnés aux soins de sa sœur pendant plus de sept ans que mon affection pour elle avait disparu. La seule que j'aurais accepté d'aider était Agathe, mais je me rendis rapidement compte qu'elle se débrouillait parfaitement sans moi. J'appris qu'elle allait dans la montagne rencontrer un vieux sage qui lui enseignait le secret des plantes. Je savais qu'elle s'intéressait à ces sortes de médecines dont elle avait découvert les vertus en Bretagne. Une fois, elle m'avait parlé d'un don qu'elle pensait posséder pour soulager les brûlures et la fièvre. Je n'y croyais pas trop. Mais après tout, si c'était ce qui lui plaisait…

Le jour où Théroulde nous ordonna à ma sœur et moi de travailler dans les champs de cannes comme des esclaves pour rembourser la dette de mon père, je décidai de ne plus revenir dans la plantation. J'étais humilié et la liberté m'était trop chère !

Lorsque j'annonçai à Lalune ma décision de rester définitivement avec eux, il me répondit :

– J'en suis content.

Cette simple phrase me combla d'aise. Je m'entendais bien avec Lalune. Parmi les boucaniers, il était le seul de mon âge. Je le considérais comme le frère que je n'avais pas eu. Il me semblait moins rustre que les autres. Nous aimions rire, bavarder et chasser ensemble.

Je lui parlais de la Bretagne et de la France. Il me disait que son rêve était d'y aller et de se rendre à Versailles à la cour. Lorsqu'il me fit cet aveu, je me moquai :

– Un boucanier à la cour ! Tu n'y penses pas !

Ma répartie le vexa. Il se leva d'un bond et s'enfuit. Je le rejoignis rapidement. Il pleurait. Je n'avais pas imaginé que cette phrase, destinée à le faire rire, pouvait le faire pleurer. Il essuya rageusement ses larmes du revers de sa main sale et, éclatant d'un rire forcé, il me lança :

– Je suis sûr que Sa Majesté aimerait notre boucan[1].

– Certes, ça le changerait de ses rôts de faisans et de perdrix ! dis-je pour me rattraper.

– Ah, tu vois que j'ai raison ! s'exclama-t-il.

Sa façon de retourner les situations à son avantage m'amusait.

À mon tour, je lui confiai mon rêve, totalement différent du sien : devenir flibustier, seul moyen à mes yeux d'obtenir le pouvoir et l'argent.

1. Nom donné à la viande salée et fumée.

– Nos rêves se rejoignent. Moi aussi je veux le pouvoir et l'argent.

Je le regardai intensément. Cela lui déplut. Il baissa sur son visage son chapeau qu'il ne quittait jamais. Cette timidité qu'il manifestait dès qu'on levait les yeux sur lui me parut incompatible avec sa soif de pouvoir et d'argent, mais je ne le lui fis pas remarquer pour ne le point vexer encore une fois et j'enchaînai :

– Il faudrait aller jusqu'à l'île de la Tortue, c'est là que sont les pirates.

– Et tu crois qu'ils t'engageraient sur ta bonne mine ? Tu n'as jamais tué personne à part un cochon ou un bœuf et tu n'es pas spécialement costaud !

– J'ai du courage.

– Il faut le prouver ! Il y a des centaines de pauvres bougres qui veulent s'embarquer sur un vaisseau pirate pour devenir riches… et des centaines y laissent la vie avant d'avoir gagné une pistole !

– Certes, mais qui ne risque rien n'a rien !

Au début, cette vie me plut.

Le matin, nous chassions et boucanions, l'après-dîner[1] chacun faisait ce dont il avait envie. La plupart s'allongeaient dans des hamacs pour fumer la pipe ou dormir, d'autres se rendaient

1. Après-midi.

25

dans les tavernes ou les tripots où ils buvaient et jouaient jusqu'à tard dans la nuit. Je les aurais volontiers suivis, mais Lalune ne buvait ni ne jouait et notre amitié était devenue si forte que je répugnais à le laisser seul.

Dans les premiers jours de notre cohabitation, il m'avait dit :

— Je déteste les tripots et je déteste ceux qui s'enivrent et qui vomissent tout ce qu'ils ont bu après avoir roulé par terre. C'est… c'est dégradant.

— Ton ami Debrest n'est pourtant pas en reste et ça ne t'empêche pas de partager sa hutte.

— Lui, c'est pas pareil.

— Et pourquoi ?

Il ne me répondit pas et, changeant de sujet, il me proposa :

— Et si nous descendions jusqu'à la plage, on y voit bien la Tortue.

Et ainsi, presque tous les après-dîners, nous allions admirer de loin cette île mythique. Nous nous asseyions sur le sable et nous usions nos yeux à essayer d'apercevoir des vaisseaux ancrés dans les anses ou une quelconque agitation nous indiquant l'arrivée ou le départ d'un navire. Lalune me conta l'histoire de Monbars l'Exterminateur et celle de l'Olonnois l'Éventreur[1]. Je les connaissais déjà en partie, mais il y ajouta force détails cruels que je fis semblant d'ignorer en m'exclamant :

— En voilà deux qui ont bravé les océans et la loi pour conquérir fortune !

1. Ces deux flibustiers ont bien existé.

– Tu te trompes ! Le premier a disparu, englouti par l'océan à vingt-cinq ans et le deuxième a été mangé tout cru par des Indiens bravos il y a à peine sept ans !

– Alors c'est pour me décourager que tu m'en parles ?

– Un peu. Je… je voudrais pas que tu finisses comme eux.

– Rien à craindre. C'est leur cruauté qui les a perdus. Dieu s'est vengé ! Mais on peut être pirate sans être un monstre sanguinaire.

Lalune me sourit et ce sourire me bouleversa.

Furieux de sentir naître en moi un sentiment si étrange, je me levai brusquement et je grognai :

– Bon, ben comme tu l'as dit, ce n'est pas en restant les bras ballants que je vais me faire engager sur un bateau. Il faudra que je leur montre de quoi je suis capable.

Je l'abandonnai sur la grève en lançant d'un ton provocant :

– Je vais me saouler comme un véritable flibustier !

Je ne le fis pas, j'errai une bonne heure en longeant la mer puis je rentrai au camp.

Il y régnait une étrange agitation et, comme j'en demandais la raison à Debrest, il m'expliqua :

– Monk a été mordu par un serpent venimeux.

– Seigneur! m'exclamai-je, est-il mort?

– Non. Il a été sauvé par une fille rousse, une sorcière à ce qu'il paraît.

Aussitôt, je pensai à Agathe. Mais que serait-elle venue faire chez les boucaniers? Non, ce ne pouvait être elle. Pour en avoir le cœur net, j'insistai.

– Rousse?

– Nos gars l'avaient enlevée en pleine forêt. Dame, c'était une belle fille et…

Une vision horrible traversa mon esprit et je criai :

– Ne me dis pas qu'ils ont abusé d'elle?

– Non. Parce que Monk est arrivé en hurlant qu'un serpent l'avait mordu et la fille l'a soigné et il est guéri. Je te dis que c'est une sorcière… Qui sait ce qu'il serait advenu de nous s'ils avaient touché à sa vertu! Peut-être qu'elle nous aurait transformés en crapauds ou en pierres!

Ainsi donc, il s'agissait bien d'Agathe. Je fus si soulagé d'apprendre que son honneur était sauf que j'éclatai de rire en ajoutant :

– En crapauds, vous auriez été parfaits!

Debrest me lança un coup d'œil courroucé qui m'amusa encore plus.

3

Chasser le porc sauvage, fumer la viande, puis la vendre, cela cessa rapidement de m'amuser. La compagnie de ces hommes frustes me lassa. Nous n'avions rien à nous dire. En dehors des heures de chasse, ils étaient la plupart du temps saouls ce qui entraînait des rixes continuelles. Ils avaient d'ailleurs choisi de m'ignorer puisque je ne participais pas à leurs beuveries. Il n'y avait qu'avec Lalune que j'avais vraiment sympathisé.

Il m'avoua un jour qu'il n'envisageait pas de boucaner toute sa vie. Comme moi, il avait envie de voyager, d'explorer d'autres pays et d'avoir une existence plus confortable. Il me décrivit même la maison qu'il acquerrait si un jour il devenait riche, les domestiques qu'il emploierait et les fêtes qu'il donnerait.

Malheureusement, Debrest prit ombrage de nos apartés. Il exigea que je construise une hutte à l'opposé de la sienne.

– Ce sera mieux, m'assura-t-il.

Lalune et lui m'aidèrent à la bâtir. Nous parlâmes peu pendant son édification. Et, pour rompre le silence, Lalune commença à chanter. C'était la première fois qu'il chantait et je fus étonné par la clarté de sa voix qui n'avait pas encore mué.

– Tais-toi! ordonna sèchement Debrest.

Le chant cessa immédiatement. Je jugeai Debrest bien autoritaire et je pris la défense de Lalune :

– Pourquoi? Il chante juste.

– T'occupe pas de ça. C'est moi qui commande.

La colère monta en moi. J'avais quitté la coupe de Théroulde, ce n'était pas pour subir celle d'un boucanier.

– Lalune est mon ami et il est libre de chanter s'il en a envie!

– Quoi? Ce n'est pas toi, espèce d'avorton, qui feras la loi chez moi! s'emporta Debrest.

– Ce n'est pas mon intention. Je veux simplement que la liberté de chacun soit respectée et…

– N'insiste pas, me dit Lalune, Debrest a raison. Je ne dois pas chanter… Je le lui avais promis. Et j'ai failli à ma promesse.

– Comment ça? Tu n'as pas le droit de chanter?

– C'est un pacte entre lui et moi!

– Mais enfin, c'est ridicule. Tu ne lui dois rien!

– Si, le respect.

Un silence suivit cet aveu. Je ne savais plus que penser. Debrest s'approcha de moi le marteau à la main, menaçant.

– Si tu veux rester parmi nous, ne cherche pas à connaître nos vies. Nous t'avons accueilli sans t'interroger. Tu dois faire pareil. La curiosité n'engendre que des catastrophes. Souviens-t'en, Josselin!

Je marmonnai je ne sais plus quoi.

J'avais entendu dire que les boucaniers avaient des mœurs particulières, celles que dans le beau monde on appelle « mœurs italiennes[1] ». Se pouvait-il que Debrest et Lalune soient de ces gens-là? Curieusement, j'eus l'impression qu'un coup de poignard me labourait le ventre. Le charmant Lalune et le vieux Debrest? C'était impensable! Et pourtant, n'était-ce pas par jalousie que Debrest m'éloignait de leur hutte? Cette évidence me sauta soudain aux yeux. J'eus du mal à contenir le dégoût qui me submergeait et, en même temps, je me demandai si l'étrange sentiment qui me faisait trembler n'était point lui aussi de la jalousie.

Je laissai tomber la planche que je tenais en main, et je m'enfuis au plus profond de la forêt.

1. Homosexualité.

J'avais besoin de réfléchir, et peut-être de partir avant qu'il ne soit trop tard.

Lalune surgit soudain et je l'accueillis fraîchement :

— Alors, tu as abandonné ton amoureux ?

Il me coula un regard triste et me répondit tout à trac :

— Ce n'est pas mon amoureux, c'est mon père.

Sur le coup, la nouvelle me laissa sans voix. Puis un fou rire de soulagement me secoua et entre deux hoquets, je répétai :

— Ton père ? Ton père ?

Je me calmai enfin et bredouillai :

— Et moi qui imaginais que…

— Oui. Je l'ai compris. C'est pour ça que je suis venu. Je ne voulais pas que tu te fasses de fausses idées.

— Mais pourquoi ne m'as-tu rien dit avant ?

— D'abord tu ne m'as pas posé la question, ensuite chez les boucaniers on est accepté comme l'on est et on se moque du passé.

— Et ta mère ?

— C'était une chaîne. On appelait ainsi des prostituées ou des condamnées pour vol qui, en échange de la liberté, du voyage gratuit et de l'assurance d'avoir un domicile, acceptaient d'épouser un colon, un flibustier, un boucanier. Elle se nommait Eulalie. Elle a épousé mon père qui, après avoir bourlingué sur plusieurs vaisseaux, avait acheté une terre. Elle est morte j'avais cinq ans.

– Lalune, ce n'est pas un vrai nom. Tu t'appelles comment ?

– Je ne m'en souviens pas. On m'a toujours appelé comme ça. Il paraît que je suis né une nuit de pleine lune et que j'avais le visage aussi rond que la lune, alors voilà.

– Et après ?

– Mon père s'est mis à boire, à jouer. Il a tout perdu et il est devenu boucanier. Mais il ne m'a pas abandonné. Jamais. Et ça, ça mérite le respect.

– Oui. Tu as raison. J'irai m'excuser.

Je le fis. Debrest chassa ma phrase, sans doute gauche, d'une main nerveuse, comme s'il chassait une mouche et grommela :

– Finis donc de construire ta cabane si tu ne veux pas dormir à la belle étoile ! Pendant ce temps, Lalune, file nous préparer quelque chose de bon à manger !

Lalune s'exécuta en souriant. Debrest l'avait plusieurs fois complimenté :

– Toi, comme coq[1] sur un navire, tu serais parfait !

Et il est vrai qu'il cuisinait plutôt bien.

Pendant ce temps, Debrest m'aida à installer les feuilles de palmier sur le toit. Soudain, il me dit :

– Josselin, je te conseille de ne pas tourner autour de Lalune.

Ulcéré qu'il insinuât que je m'adonnais aux mœurs italiennes, je protestai :

1. Cuisinier.

33

– Vous n'y pensez pas. Lalune est un ami. Rien de plus.

– Tant mieux. Parce que si jamais un jour je te surprends à avoir des gestes équivoques, je te tuerai. Tu entends bien ce que je te dis. Je te tuerai. Sans hésiter.

Le ton qu'il employa me glaça. J'étais certain qu'il mettrait sa menace à exécution. Je frissonnai.

Nous terminâmes le travail en silence.

– Voilà qui est fait! lança-t-il en sautant du toit.

– Merci.

J'étais mal à l'aise et, après un instant pendant lequel nous demeurâmes face à face à nous étudier, j'assurai :

– Je n'ai pas faim. Ce soir, je reste chez moi.

– Tu as raison. Chacun chez soi. C'est mieux pour tout le monde.

Je passai une mauvaise nuit. Outre que la faim me tenaillait l'estomac contrairement à ce que j'avais prétendu, je fis d'abominables cauchemars et, lorsque je ne dormais pas, je me demandais si le moment n'était pas venu pour moi de quitter les boucaniers pour chercher un embarquement à l'île de la Tortue et devenir enfin riche. Il me parut que c'était la seule solution.

Je me voyais déjà, le sabre au clair, un couteau entre les dents, me lancer à l'assaut d'un navire parce qu'un chef pirate aurait hurlé : « À l'abordage ! » puis tuer les marins ennemis pour m'emparer des trésors contenus dans les cales et, après être revenu dans un mouillage calme et secret, recevoir ma part de butin. Cent fois, mille fois déjà, je m'étais imaginé dans cette situation et j'avais hâte de la vivre.

4

À dire vrai, je ne savais comment m'y prendre pour réaliser mes rêves.

La seule chose dont j'étais certain, c'était que je n'avais pas fui la plantation pour végéter dans les bois. Ce n'était, à coup sûr, pas le bon moyen pour m'enrichir.

Je n'étais pas non plus convaincu qu'en devenant un flibustier parmi des centaines d'autres j'atteindrais mon but. Le partage est rarement à l'avantage des matelots. Ce qu'il fallait, c'est que je sois capitaine comme ce fameux Monbars ou encore comme l'Olonnois. Eux étaient vraiment devenus riches. Et pour ne pas subir leur sort cruel, il suffirait de s'arrêter à temps et, fortune faite, de s'installer dans une de ces îles paradisiaques ou encore de rentrer en France et de couler des jours paisibles dans le faste et les fêtes...

À moins que je ne mette mes navires au service du roi de France et que celui-ci, reconnaissant, ne m'anoblisse. C'est ce qui était arrivé à Francis Drake le célèbre flibustier anglais que la reine Elizabeth avait fait chevalier.

C'était ce destin-là que je voulais.

Et, dans le fond, que fallait-il pour devenir capitaine ? Plus de courage que les autres, plus de détermination, de l'intelligence et de la ruse. Toutes qualités que je possédais. J'aurais aussi besoin d'un équipage. Il était là. Il me suffirait de persuader les boucaniers que la richesse était à portée de leurs mains. Pour les plus jeunes, cela ne poserait pas trop de problèmes, j'étais certain que, comme moi, l'appât du gain et l'aventure les feraient vibrer, mais les plus âgés, comment réagiraient-ils à mon ambition ?

L'occasion de parler à Debrest se manifesta un soir qu'il revenait du port.

– Nous sommes trop nombreux à boucaner sur l'île, m'expliqua-t-il, mécontent. Les capitaines font baisser les prix. Si ça continue, ils ne nous donneront plus rien de notre viande !

– Oui, l'âge d'or de la boucanerie est terminé.

– Tu n'as pas tort et c'est triste.

– Eh bien, moi, je n'en suis pas fâché, lança Lalune. Tuer, dépecer, saler et fumer toutes ces bêtes ça finit par m'écœurer.

Debrest lui jeta un regard noir et l'invectiva :

– Et que comptes-tu faire ?

– M'engager sur un navire comme coq ou comme mousse, voyager, voir des horizons nouveaux.

– Et la liberté ? Tu accepterais de la perdre sans regret ? s'étonna son père.

– La liberté ? Celle de vivre dans la crasse et le sang dans une hutte au fond des bois ? J'en ai plus qu'assez de cette liberté-là ! s'emporta Lalune.

Sans le savoir, Lalune m'offrait une entrée en matière idéale et avant que le père et le fils n'en viennent aux mains, j'intervins :

– J'ai peut-être une solution pour tout concilier.

Je laissai passer quelques minutes afin que la tension s'apaise et je lâchai :

– Entrer dans la flibuste.

Debrest eut un sourire ironique.

– Et tu crois qu'on y entre comme ça ?

– En fait, je me suis mal exprimé. Je ne veux pas devenir flibustier sous les ordres d'un capitaine. Je veux devenir capitaine pour n'avoir d'ordre à recevoir de personne.

Là, Debrest éclata franchement de rire.

– Pour être capitaine, il faut avoir un vaisseau !

– J'en aurai un.

– Et comment ?

– Il suffit de le prendre là où il y en a : sur la mer.

– Tu l'aborderas à la nage tout seul et il se rendra ? Tu divagues comme un chien fou !

Je lui exposai alors mon plan. Ce n'était pas vraiment le mien. C'était Lalune qui m'avait raconté comment s'y était pris un flibustier pour voler un vaisseau. J'avais oublié le nom du flibustier mais pas son exploit et j'avais bien l'intention de l'imiter.

– Je connais cette histoire, grommela Debrest, mais ce n'est pas parce qu'il a réussi que tu réussiras.

– Certes. Pourtant, si je suis entouré par des gens courageux et prêts à tout pour sortir de la misère, c'est jouable. La richesse est là. Il faut savoir prendre des risques pour l'aller chercher.

J'avais dû employer les bons arguments car, après un moment de réflexion silencieuse, il bougonna :

– Faut voir. Je m'en vais en parler aux autres.

– Moi je trouve que c'est une bonne idée ! s'enthousiasma Lalune.

– Pas pour toi, assura son père. Tu es trop jeune et pas assez costaud pour ce genre d'expédition.

– Comment ? s'étrangla le jeune homme. Comptes-tu que je vous attendrai sagement dans la hutte pendant que vous vous battrez sur la mer ?

– Exactement. Ta place n'est pas parmi les…

Ne trouvant sans doute pas le terme approprié, Debrest s'arrêta, mais Lalune était hors de lui et il vociféra :

– C'est toujours comme ça t'arrange, toi ! Pour dépecer les bœufs et faire la cuisine, je suis à ma place, mais pour prendre part à une belle action tu ne veux plus de moi !

– Tais-toi, Lalune, tu sais parfaitement ce que je veux dire.

Le jeune homme lui lança un curieux regard où la colère et la peine se mêlaient puis il sortit de la hutte où nous nous étions installés pour bavarder. Un instant, je fus tenté de le rattraper, mais j'y renonçai ne voulant pas fâcher Debrest.

Debrest, ni aucun des autres boucaniers, ne vint m'entretenir de mon projet les jours suivants. Mais comme j'avais besoin de m'occuper, je me mis au travail. Je coupai des arbres et j'entrepris de les creuser. Au début, Lalune était le seul à me prêter la main et encore le faisait-il uniquement lorsque Debrest n'était pas dans les parages.

– Mon père a toujours peur qu'il m'arrive quelque chose, m'expliqua-t-il.

Je me moquai gentiment :

– Il te prend pour une femmelette !

Il haussa les épaules et, ignorant ma répartie, il poursuivit :

– Moi, je veux lui faire honneur et lui prouver mon courage et ce n'est pas en restant à terre que j'y parviendrai.

– Ne t'inquiète pas, le moment venu, tu embarqueras avec nous.

– Tu me le jures ?

– Je te le jure !

Cette promesse redoubla son énergie et le sourire de remerciement qu'il m'adressa décupla la mienne.

Un après-dîner, alors que nous rentrions de la chasse, Debrest me dit :

— J'ai parlé de ton projet aux autres, mais c'est ton idée à toi et c'est à toi de les convaincre. Ce soir, nous serons tous réunis autour du feu, ce sera le moment.

Voir les vingt boucaniers ensemble était rare. Leurs visages burinés par l'air, le soleil et la crasse, leur carrure imposante, m'impressionnèrent. Je me souviens avoir pensé à cet instant que si mon entreprise échouait, ils n'hésiteraient pas à me massacrer. Ils ne devaient pas soupçonner ma crainte. Au contraire, je devais leur montrer que j'avais l'étoffe d'un chef. Je m'éclaircis la gorge et je commençai :

— Vous connaissez les exploits de ce flibustier qui s'est emparé d'une galiote pleine d'or alors qu'il n'avait en tout et pour tout qu'une barque ?

Ils hochèrent la tête.

— Eh bien, nous allons faire de même !

— Et comme lui, tu saborderas la barque pour nous obliger à monter à l'abordage au risque de nous faire périr noyés ? s'indigna un des boucaniers.

– Non, parce que moi, j'ai entièrement confiance en vous. Je connais votre courage, votre endurance et je sais que vous ne faiblirez pas dans l'attaque.

Quelques sourires et des paroles bienveillantes me signifièrent que je venais de marquer un point. Je profitai de mon avantage :

– Des galions pleins d'or, d'épices, de soieries en provenance de Porto-Bello passent sous nos yeux, alors que nous trimons pour pas grand-chose. Si nous nous unissons, ils seront à nous!

L'alcool et la chaleur du foyer aidant, mes paroles furent accueillies par des vivats. Des chapeaux s'envolèrent, certains boucaniers exécutèrent les pas d'une danse primitive en psalmodiant un chant curieux. Tout à coup, au milieu de cette liesse, une voix forte s'éleva, c'était celle de Gros-Peter connu pour son sale caractère :

– Et qui tu es, toi, pour nous commander?

Aussitôt les manifestations de joie cessèrent et un silence lourd tomba dans l'attente de ma réponse.

– J'ai été officier sur un navire français coulé par des pirates. Si le capitaine m'avait écouté, nous aurions été victorieux. Mais il m'a traité de « jeune écervelé ». Il s'en est repenti trop tard. Il a coulé avec son vaisseau.

Des murmures étonnés se firent entendre. J'évitai de regarder Debrest et Lalune tandis que j'exposais mes menteries. Mais je n'avais pas le choix. Je devais emporter l'adhésion des boucaniers et pour cela je devais les charmer.

Les vivats reprirent. J'avais gagné !

Les jours suivants, des boucaniers vinrent m'aider. Certains s'occupèrent des armes. Car s'ils possédaient tous des fusils pour la chasse, des poignards pour le prestige et aussi pour se défendre d'éventuels ennemis, il fut convenu qu'il serait préférable d'avoir des sabres et des pistolets et surtout une grande quantité de poudre. On ne s'engage pas dans la piraterie sans un arsenal important. Lorsqu'ils regagnaient le campement, ils montraient leurs acquisitions avec une joie juvénile, insistant sur le tranchant d'une lame, la précision d'un fusil, ou faisant admirer les incrustations de pierre dans un poignard. Posséder des armes leur donnait un sentiment de puissance qui les exaltait.

N'étant pas passionné par les armes, je me concentrai avec quelques autres sur la construction de pirogues.

– Combien il t'en faut ? m'interrogea un colosse roux.

– Cinq, ce serait parfait.

J'avais répondu avec assurance, bien que je ne sois pas sûr du chiffre. Mais si je voulais m'imposer comme chef, je devais montrer que j'avais tout prévu, tout calculé et qu'il suffisait de m'obéir pour que l'expédition réussisse.

– Dans une crique plus au sud, il y a une chaloupe échouée. Il faudrait la réparer. Elle doit pouvoir contenir une dizaine d'hommes, m'expliqua un autre boucanier avec qui, jusqu'à ce jour, je n'avais pas échangé trois mots.

– Excellente idée. Tu t'en occupes ?

– Oui, capitaine, me répondit-il.

Cette appellation me gonfla d'orgueil.

Lalune n'en fut pas impressionné, car il me demanda :

– Tu crois qu'on va réussir ?

– Il le faut !

Afin de renforcer notre esprit d'équipe, Lalune avait découpé des bandes dans un tissu de coton rouge sang et nous avait suggéré de nous en ceindre le front ou de le nouer autour du cou.

– Ainsi, nous avait-il expliqué, n'importe où, nous reconnaîtrons au premier coup d'œil ceux qui sont des nôtres. Nous serons les pirates rouges.

Les flibustiers

1

Quinze jours plus tard, dix embarcations étaient prêtes à prendre la mer. Deux avaient été récupérées en mauvais état sur les plages, d'autres avaient été échangées contre de la viande et nous avions construit cinq pirogues. Ces hommes qui n'attendaient rien de la vie avaient été réveillés par mon projet et mettaient tout en œuvre pour le réaliser rapidement, comme si devenir riche ne pouvait plus attendre. Il régnait, dans le campement, une effervescence joyeuse.

Ma complicité avec Lalune était complète. C'était vraiment un ami avec qui j'avais plaisir à partager mes idées et sur qui je pouvais compter. Il y avait pourtant en lui une part de mystère. Il s'éloignait parfois du groupe et disparaissait quelques heures dans la forêt.

Lorsque je voulais le suivre, Debrest m'arrêtait :

– Laisse-le. Par moments, il a besoin de solitude.

Je dois avouer que cela faisait partie de son charme. Il n'avait rien à voir avec le compagnon brutal avec qui on aime se battre pour le plaisir. L'idée de mesurer ma force à la sienne ne m'effleurait pas.

Et puis un jour... je m'en souviendrai toute ma vie.

Nous avions couru la forêt derrière un bœuf, Debrest l'avait abattu, puis Lalune et moi l'avions dépecé, tranché, salé et l'avions mis à fumer. Nous étions sales et fourbus. Le sang, la sueur, la crasse, ne dérangeaient nullement les boucaniers. Moi si et, comme souvent, je filai discrètement vers une source pour m'y laver. Je ne m'en vantais pas. Je suppose que les boucaniers auraient mal accueilli mon souci d'hygiène. Je me rendais toujours au même endroit, à quelques pas du campement. Cette fois, je m'avançai plus profondément dans la forêt à la recherche d'une cascade dont Lalune m'avait parlé. Lui aussi détestait rester le corps maculé de sang.

Le bruit de l'eau tombant du rocher me guida. La voix de Lalune qui chantait me troubla. Il était en train de se laver et n'apprécierait peut-être pas ma venue. Je m'apprêtais donc à faire demi-tour, lorsque la curiosité me poussa à jeter un regard vers la cascade. Il me tournait le dos et j'admirai son corps parfait. Jambes longues et musclées, cou délié... Soudain, il se retourna et là... je découvris qu'il... enfin qu'elle avait des seins... de magnifiques seins de femme. J'allais porter mon regard plus bas lorsqu'il, enfin elle, m'aperçut. Elle poussa un cri et protégea son bas-ventre de ses deux mains tout en se retournant vitement vers le rocher. Je restai une fraction de seconde paralysé, puis je courus vers elle et sans me dévêtir, je la rejoignis sous la cascade en bredouillant :

– Lalune... Lalune... tu es donc une femme ?

– Ne me regarde pas, je suis toute nue...

Sa phrase était si curieuse et j'étais si heureux de ma découverte que j'éclatai de rire. Mettant une main aux doigts ouverts devant mes yeux, je lui assurai :

– Je ne te regarde pas.

– Si. Tu triches !

– C'est que... tu es si belle...

– Non. Je suis laide, m'assura-t-elle d'un ton rageur.

– Tu es folle ! Tu es superbe !

– Ne te moque pas. Mon père dit que je suis laide et que je suis mieux en garçon.

– Il suffit de te mettre devant un miroir pour te convaincre qu'il ment.

49

– C'est malin! Tu en vois des miroirs dans cette forêt?

– Tu... tu ne t'es jamais vue dans un miroir?

– Jamais. Maintenant tourne la tête. Je vais sortir et m'habiller. Après nous parlerons.

Je trichai cette fois encore. Je ne me lassais pas de l'admirer. Un immense soulagement me donnait envie de rire, de chanter, de danser. Maintenant, je pouvais enfin l'admettre, j'étais amoureux de Lalune! Lorsqu'il était garçon, j'avais refoulé l'attirance que je ressentais. À présent, ivre de joie, je la laissais s'exprimer au grand jour.

Lalune se vêtit d'une culotte rapiécée et, après avoir bandé ses seins dans une longue et large étoffe, elle enfila une ample chemise usée. Elle allait attacher ses cheveux mal coupés avec un ruban, mais je lui attrapai le bras pour arrêter son geste.

– Laisse tes cheveux. Je ne savais pas qu'ils étaient si beaux et si longs.

– Tu te moques encore. Ils frisent trop et c'est mon père qui me les coupe lorsque son poignard est bien affûté, alors forcément, ils sont laids.

Elle les secoua pour en chasser l'eau et ils se répandirent sur ses épaules. J'osai les caresser. Elle recula comme un animal effarouché.

– Faut pas que je m'attarde, me dit-elle, sinon mon père sera fâché et lorsqu'il est en colère, les coups pleuvent.

Elle enfonça son chapeau sur son crâne et s'apprêtait à me planter là.

– Hé, tu avais promis que nous parlerions, lui rappelai-je.

– Nous avons parlé.

– Là, c'est toi qui te moques de moi! Je veux savoir pourquoi tu te caches dans des habits de garçon.

– C'est tout simple. Aucune femme, aucune fille, n'a jamais vécu avec les boucaniers. Ils en sont très fiers. Mon père était furieux d'avoir eu une fille, alors, après la mort de ma mère, lorsqu'il est venu vivre dans la forêt, je suis devenu son fils. Personne, à part lui, n'est au courant de ma véritable identité.

– Il aurait pu choisir une autre vie digne d'une jeune fille.

– Sans doute, mais il aurait pu aussi m'abandonner ou me vendre comme esclave. Certains pères sans scrupules le font. Le mien, il a son caractère. La tendresse, il sait pas ce que c'est, mais il m'assure la nourriture, un toit et sa protection alors je m'en contente.

– Tu es sage… heu Lalune. Mais tu dois bien avoir un nom de baptême?

– Il paraît que je m'appelle Lalie, le diminutif d'Eulalie le prénom de ma mère. Lalie s'est transformée en Lalune et c'est comme ça qu'il faut m'appeler.

– Je vais avoir du mal, maintenant que je sais.

– Tu ne devrais pas savoir, Josselin. Pour tout le monde, je suis un garçon. C'est à ce mensonge que je dois ma survie. Ainsi personne n'a cherché à abuser de moi et j'ai vécu comme un garçon sans aucun problème… jusqu'à ce que tu arrives.

– Ah, interrogeai-je traîtreusement, ma venue a changé quelque chose ?

– Oui. Tu es jeune, bien fait, tu n'as pas les manières frustes des hommes d'ici et…

– Et ?

Elle hésita et conclut :

– Rien.

Je m'attendais à ce qu'elle me dévoile ses sentiments. J'en fus pour mes frais. Pourtant, il était hors de question que nous retournâmes au campement comme si tout était comme avant. Aussi, je la pris dans mes bras et je l'embrassai. Elle ne résista pas.

– Mon père ne doit jamais soupçonner que tu connais la vérité.

– Mais pourquoi ? Il faudra bien qu'il accepte que tu es une fille et même une très jolie jeune fille.

– Non. Pour lui, je suis son fils. Admettre le contraire serait le discréditer aux yeux des autres. Il en mourrait de honte.

– Je ferai de mon mieux, mais ce sera difficile.

– Fais-le pour moi et aussi un peu pour lui. Après tout, il t'a accueilli chez lui. Il n'y était pas obligé.

– Tu le regrettes ?

Je crus qu'elle allait se jeter dans mes bras en m'assurant que non, mais elle répondit :

– Je ne sais pas. Avant ma vie était simple, je crains maintenant qu'elle se complique.

– Certes. Mais je te jure qu'elle va devenir mille fois plus passionnante !

2

Tout était prêt.

Il suffisait de repérer le vaisseau à attaquer.

Lors d'une réunion regroupant les vingt-cinq boucaniers vivant et travaillant avec Debrest, j'avais exposé mon plan. Certains regimbaient à l'idée de risquer leur vie. À ceux-là, je déclarais :

– Je n'oblige personne à me suivre car il faut du courage pour réussir et tout le monde n'en a pas.

Cette phrase était audacieuse car, en attaquant leur honneur, je pouvais me les mettre à dos. Mais l'appât de l'or était si fort que ceux que mon entreprise enthousiasmait exhortaient les autres :

– Il a raison ! s'exclama Jean Leroux, le grand colosse roux. On n'a rien sans rien ! Il vaut mieux risquer sa vie pour devenir enfin riche que continuer à végéter dans cette forêt!

Leroux était mon second. Il était venu m'apprendre quelques jours plus tôt qu'il avait déjà navigué et qu'il se mettait à mon service. Je ne lui avouai pas mon ignorance sur le sujet, et j'acceptai avec joie sa proposition. À cette époque, j'étais jeune, fougueux et inconscient, sinon comment aurais-je pu imaginer réussir une telle entreprise alors que j'ignorais tout de la navigation?

Cependant trois boucaniers préférèrent se retirer du projet. C'est à ce moment que l'incident eut lieu.

– Lalune non plus ne participera pas à l'expédition, annonça Debrest, il est trop jeune.

Je le regardai, soulagé. Depuis que je connaissais la vérité, je ne savais comment faire pour protéger Lalune du danger d'un abordage. Ce n'était assurément pas la place d'une jeune fille.

– Je suis de votre avis, répondis-je.

– Quoi? s'emporta Lalune, il me semble au contraire que la jeunesse est un atout. Je suis plus agile et plus rapide que beaucoup d'entre vous et je n'ai peur de rien!

– C'est vrai ça, bougonna Gros-Peter.

Je le foudroyai d'un œil mauvais. Sûr que pour hisser sa graisse sur le pont ennemi il aurait du mal! Mais de là à encourager Lalune…

– Oui, mais c'est mon fils et en tant que père je lui ordonne de rester à terre, reprit Debrest.

– Tu veux faire de ton fils un poltron ? ironisa Gros-Peter.

« Qu'il se taise, bon sang, qu'il se taise ! » pensais-je.

– Je ne suis pas un poltron et je vous le prouverai ! assura Lalune.

Puis se plantant devant moi, elle me dit, un sourire narquois aux lèvres :

– De toute façon, tu m'as juré l'autre jour que j'embarquerais avec toi et un boucanier n'a qu'une parole n'est-ce pas ?

– C'est-à-dire que... c'était avant...

– Avant quoi ? coupa sèchement Debrest.

– Eh bien avant que...

Tous les yeux étaient braqués sur moi. Si je ne trouvais pas rapidement une réponse acceptable, ils se moqueraient de mon hésitation et c'en serait fini de mon autorité.

– Avant que notre projet prenne forme. Ce n'étaient à cette époque-là que des idées en l'air. Maintenant que tout est prêt, je ne peux embarquer que des hommes aguerris et pas des... des gamins.

Je vis le menton de Lalune trembler, ses poings se serrer. Elle me lança un regard qui me perça le cœur et quitta le groupe sans un mot.

– C'est bien, me dit Debrest. Tu es le capitaine, c'est toi qui décides.

J'aurais voulu courir, la rattraper, lui expliquer, la raisonner, la serrer dans mes bras et m'excuser de l'avoir ainsi humiliée, lui jurer que je ne l'avais fait que par amour, pour la protéger, pour la garder vivante…

Mais je ne bougeai point.

À partir de ce moment, Lalune m'évita. Jamais je ne pus trouver un moment pour être seul avec elle. Elle n'allait plus à la cascade et restait dans sa cabane ou alors elle disparaissait sans que personne sache où elle était.

De jour comme de nuit, des veilleurs scrutaient l'horizon à la recherche du moindre navire. Il fallait qu'il soit seul et non en groupe comme les *flotas* espagnoles qui revenaient de Panama leur ventre chargé d'or, d'argent, de produits exotiques. J'espérais plus tard m'attaquer à eux. Pour l'heure c'était trop risqué. Nous n'étions pas encore prêts.

Des boucaniers se rendaient aussi fréquemment dans les tavernes pour essayer d'apprendre quel navire allait croiser dans les parages. Lorsqu'ils revenaient au petit matin, l'esprit embué par l'alcool, ils nous livraient des informations impossibles à comprendre. Certains s'emballaient sur des chimères et nous nous précipitions sur nos embarcations pour constater qu'aucun navire n'était en vue ou alors ce n'était plus qu'un minuscule point noir entre le ciel et l'eau.

Je commençais à désespérer. N'avais-je pas péché par orgueil en montant ce projet? Était-il seulement réalisable? N'avais-je pas été fou pour déranger le tran-tran[1] quotidien des boucaniers? D'ailleurs, la motivation de mes compagnons s'émoussait. Ils rêvaient tant de richesse que leur attrait pour la boucanerie avait disparu.

– Si tu ne réussis pas ton coup, m'avertit un soir Debrest, tu es un homme mort!

J'étais certain qu'il disait vrai.

Tout à coup, Lalune surgit très excitée et m'annonça:

– Une frégate espagnole en difficulté s'approche de nos côtes.

– Comment le sais-tu?

– Je suis amie avec les derniers Indiens de l'île et ils savent des choses que nous ignorons. S'ils m'assurent qu'une frégate arrive, il faut les croire.

Je ne sais pourquoi, alors que nous avions plusieurs fois été bernés par de fausses informations, je crus Lalune et ses Indiens.

– Cours prévenir les autres, lui ordonnai-je.

Quelques minutes plus tard, vingt boucaniers, qui muni d'un sabre, qui un ou deux pistolets fixés dans la ceinture, qui un fusil et un poignard dans chaque main se présentèrent. Debrest était à leur tête.

Je rappelai les consignes et je criai:

1. Train-train.

– En avant! Nous les attendrons cachés dans nos embarcations! Ils ne se méfieront pas d'une dizaine de barques de pêcheurs… et lorsqu'ils seront proches, nous les assaillirons!

– Sus à l'Espagnol! cria quelqu'un.

– Sus à l'Espagnol! reprirent-ils en chœur.

Nous nous ruâmes sur les barques et les pirogues. Debrest arrêta Lalune de la main :

– Tu restes là! lui ordonna-t-il.

– Non. C'est moi qui ai apporté l'information. Je viens avec vous!

J'hésitai. Debrest me jeta un regard suppliant, mais je croisai aussi celui de Lalune, déterminé et tout aussi suppliant. Je cédai.

– Il vient. On le lui doit bien.

Puis m'adressant à Lalune, je lui conseillai :

– Reste toujours derrière moi.

– À vos ordres, capitaine! claironna-t-elle en m'octroyant un souris resplendissant.

Ce sourire m'avait tant manqué depuis plusieurs jours que je me sentis pousser des ailes.

Après, tout est allé très vite.

La frégate se dirigeait vers la côte. Elle avait dû subir une tempête qui avait déchiré ses voiles et malmené sa coque et envisageait de réparer en mouillant dans une crique abritée. Je saisis la longue-vue dont nous avions fait l'acquisition et je tâchai de percer le mystère de ce bâtiment. Il ne devait pas y avoir plus de cent hommes d'équipage et une dizaine de canons. Nous avions de la chance.

Nous nous postâmes de part et d'autre de l'embouchure de la rivière où nous pensions que la frégate chercherait abri. Un ou deux hommes qui jouaient le rôle de simples pêcheurs étaient visibles dans chaque embarcation, les autres se tenaient cachés dans le fond.

La nuit allait tomber, favorisant notre plan.

Je ne criai aucun ordre. Comme me l'avait appris Lalune, j'imitai le chant d'un oiseau des îles. Deux autres oiseaux me répondirent : Debrest et Leroux. Aussitôt, nous approchâmes nos embarcations de la frégate. Tandis que certains envoyaient des grappins contre le bastingage, d'autres montaient le long de la corde de l'ancre, les plus agiles s'agrippaient de leurs mains et de leurs pieds nus aux aspérités de la coque et sautaient silencieusement sur le pont.

Je n'eus pas besoin d'aider Lalune, elle grimpa le long de la corde avec une rapidité surprenante et atterrit sur le pont juste derrière moi. Afin d'avoir les mains libres, elle tenait son poignard entre les dents et son air farouche et déterminé m'étonna.

Tout à coup, un cri retentit :

– Des pirates ! À l'attaque !

On venait de nous apercevoir et c'était le branle-bas de combat. Mais nous étions déjà sur le pont.

Les autres n'avaient pas eu le temps de saisir leurs armes et nous en profitâmes. Les leçons du maître d'armes que mon oncle avait engagé pour Constant et moi à Kercado me revinrent en mémoire et je maniai le sabre et le pistolet aussi bien que les autres.

Les boucaniers défendaient chèrement leur peau. Ils sabraient des têtes, perçaient des poitrines ou passaient l'Espagnol par-dessus bord en beuglant pour se donner du courage et impressionner l'adversaire. J'étais moi aussi très à mon aise et l'odeur de la poudre, du sang, les hurlements, ne me firent pas faiblir, au contraire. Pourtant, mon premier souci était de protéger Lalune que je m'efforçais de garder derrière moi bien qu'elle m'exhortât :

– Pousse-toi, celui-là est pour moi !

Fort heureusement, je réussissais à l'occire avant qu'il ne la touche. J'aurais eu beaucoup de mal à accepter qu'elle tue quelqu'un. Que ce soit moi qui le fasse me paraissait naturel.

En peu de temps, plus personne ne nous résista.

Le capitaine, qui avait laissé batailler ses hommes sans se mêler aux combats, me dit :

– Monsieur, je vous abandonne mon navire en échange de ma vie.

– Vous n'avez pas le choix, car nous l'avons bel et bien pris, fanfaronna Lalune.

– Pas de quartier ! cria Gros-Peter en levant son sabre sanguinolent.

61

– Inutile de tuer un homme qui se rend, lui répondis-je.

– Josselin a raison, intervint Lalune. Nous ne sommes pas des meurtriers et seule la cargaison nous intéresse.

Gros-Peter, fâché que nous ne le laissions pas assouvir ses instincts sanguinaires, mais ne voulant pas l'admettre, s'exclama soudain :

– Descendons dans la cale voir notre butin !

Avec des cris de joie, tous le suivirent.

C'est seulement à ce moment-là que je remarquai l'absence de Debrest.

– Où est Debrest ? questionna Lalune au même instant.

S'il n'était pas avec nous c'est assurément qu'il avait été blessé… ou pire. Nos regards angoissés se rencontrèrent. Et elle se mit à chercher parmi les corps épars sur le pont : des Espagnols blessés, d'autres morts et trois boucaniers blessés également. Tout à coup, elle découvrit Debrest dans une mare de sang, une profonde blessure à la poitrine. Elle tomba à ses genoux et, lui dénouant l'étoffe rouge qui lui serrait le cou, elle balbutia tandis que des larmes inondaient ses joues :

– Debrest ! Non, pas toi !

Le boucanier ouvrit les yeux et murmura :

– Lalune… Tu vois, à trop rêver de richesse, on meurt… Ta place n'est pas ici… ni avec les flibustiers… ni avec les boucaniers et…

– Si, si père, ma place est avec vous tous.

– Non. Tu sais très bien ce que je veux dire…
Et puisque je ne serai plus là pour te protéger,
je…

– Je vais te soigner et tu guériras ! le coupa
Lalune.

Le visage de Debrest se crispa de douleur. Il fit
un geste désabusé de la main avant de poursuivre
d'une voix de plus en plus faible :

– … je te confie à Josselin. J'ai bien vu qu'un
tendre sentiment naissait entre vous.

Il m'appela et je m'agenouillai à côté de lui et
de Lalune.

– Josselin, me dit-il, je te confie Lalie. Aime-
la…

Et il rendit son âme à Dieu.

3

Lalune, en larmes, était penchée sur le corps sans vie de son père lorsque Gros-Peter nous annonça d'un ton réjoui :

– Y a une trentaine de nègres[1] enchaînés à fond de cale !

– Sinon, il y a du tabac, de la teinture, du sucre, ajouta Leroux.

– Ouais, mais y a pas une once d'or, pas un pouce d'argent et aucune pierre précieuse, grogna un boucanier.

– Trente esclaves noirs, c'est aussi bien que de l'or ! assura Gros-Peter.

– Nous ne les vendrons pas, lâchai-je immédiatement.

1. On appelait ainsi les Noirs à l'époque.

– Quoi? s'étrangla Gros-Peter. Et pourquoi? Tout ce qui est dans la cale doit être vendu et le butin partagé entre tous! C'est la loi de la flibuste.

– Ce sont des hommes et je trouve ignoble de les considérer comme de la marchandise, répliquai-je.

– Il est fou! se moqua Gros-Peter en se tournant vers les autres pour les rallier à sa cause. Tout le monde sait que les nègres ne sont pas plus intelligents que des bêtes et qu'on peut les vendre comme du bétail!

– Ce n'est pas mon avis. Mais puisque tu veux partager, nous partagerons. Je suis le capitaine, j'ai droit à six fois la part d'un matelot. Je prends six esclaves à qui j'accorde la liberté; Leroux, mon second, en aura deux; les membres de l'équipage en auront un chacun. Que ceux qui veulent agir comme moi lèvent la main, les autres doivent s'apprêter à quitter le groupe des pirates rouges!

Il y eut quelques minutes de flottement pendant lesquelles ils discutèrent entre eux. Puis Leroux prit la parole :

– On est d'accord pour rendre la liberté aux esclaves.

– Pas moi! hurla Gros-Peter en détachant le turban rouge qui lui ceignait le front et en le piétinant.

– Tu auras ta part, mais je ne veux plus te voir!

– Tu es un minable, Josselin, et ce n'est pas avec des idées pareilles que tu t'enrichiras! D'ici peu tu serviras de nourriture aux requins de la mer des Caraïbes et personne ne te regrettera.

Je le laissai vider son venin sans broncher. Je n'étais pas mécontent de me séparer de lui. Je n'appréciais pas son goût pour le sang et sa méchanceté gratuite.

Que tous les autres me soient restés fidèles me comblait. C'était la preuve qu'ils m'avaient accepté comme leur chef.

Lorsque Lalune annonça la mort de Debrest, un silence respectueux se fit. Ils allèrent saluer son corps, puis deux boucaniers le transportèrent hors de la frégate pour l'enterrer. En dehors de Debrest, nous ne comptions que deux blessés légers et un boucanier plus gravement atteint d'un coup de sabre au bras. Chez les Espagnols, il y avait une dizaine de morts et plusieurs blessés. Comme je n'avais aucune intention de les achever, j'autorisai le capitaine à les faire descendre à terre pour qu'ils y soient soignés et je lui ordonnai aussi d'abandonner son navire avec la dizaine d'hommes encore valides et de considérer que ce vaisseau était à moi.

– Je vois, monsieur, me dit-il, que bien que flibustier vous êtes un gentilhomme. Ce vaisseau est donc le vôtre. Pourtant, je vous conseille de vous éloigner rapidement de ce lieu, car mon honneur m'ordonne de vous faire une chasse sans merci afin de reprendre mon bien.

— Le temps d'enterrer nos morts et de réparer les avaries et vous ne nous reverrez plus !

Je demandai enfin que l'on fasse monter les nègres sur le pont. Ils étaient en piteux état, souffrant de la faim et de la soif, les chevilles entamées par les fers. On leur distribua les vivres que l'on trouva à bord. Ils les dévorèrent. Puis je leur annonçai qu'ils étaient libres. Tout d'abord, ils ne me comprirent pas. Ils demeuraient tremblants, serrés les uns contre les autres comme pour se protéger, osant à peine lever vers moi leurs yeux effarés. Par gestes, je leur expliquai qu'ils pouvaient quitter le navire et aller où ils voulaient. Ils se regardaient, ils me regardaient, certains émirent quelques curieux claquements de langue, d'autres grimacèrent ou sourirent. Celui qui me parut le plus âgé et le plus mal en point aussi s'adressa à moi dans un français approximatif :

— Vous vouloi' di'e que nous… plus esclaves ?

— Oui. Vous êtes libres !

Il traduisit dans leur dialecte. Des cris de joie retentirent tandis qu'ils tombaient à genoux pour m'embrasser les pieds.

– Relevez-vous ! dis-je, gêné.

Le plus âgé leur parla encore. Il sembla les interroger car presque tous levèrent la main sauf les plus vieux et deux qui paraissaient malades.

– Eux se mett'e à ton service, maît'e, baragouina-t-il. Eux prêts à mou'i pour toi. Moi et ces quat' là t'op vieux. Mais nous prions pou' vous le Dieu des Blancs et les dieux de nos ancêt's. Vous se'ez bien p'otégé.

Ainsi j'avais perdu des esclaves, mais je gagnais des flibustiers dont j'étais certain que la fidélité ne ferait pas défaut. Nous étions à présent plus de quarante, ce qui nous permettrait de nous attaquer à des vaisseaux plus gros et donc plus richement chargés.

Gros-Peter avait jeté son dévolu[1] sur un jeune nègre qui, bien que maigre, avait une ossature et une musculature impressionnantes. Il lui avait déjà lié les mains et s'apprêtait à quitter la frégate avec lui lorsque Lalune lui proposa :

– Je te l'achète sur ma part du butin.

– Et pourquoi il t'intéresse tant, ce négro ?

– Parce que c'est injuste qu'il ne soit pas libéré avec les autres.

– C'est vrai qu'il n'a pas de chance ! Être raflé dans son pays et manquer la liberté d'un poil. Il a pas dû assez prier la déesse de la liberté ! s'esclaffa Gros-Peter. Mais il est à moi. Je le garde.

– Je t'en donne deux fois sa valeur, reprit Lalune.

1. Choisi.

– Eh bien, je pensais pas que ça valait autant la vie d'un nègre! Mais pendant que tu y es, donne-moi ta part entière et il est à toi.

– Marché conclu!

Je n'étais pas intervenu pendant la transaction, mais j'étais heureux qu'elle ait abouti et fier de l'attitude de Lalune. Je n'avais qu'un regret, ne pas y avoir pensé avant elle.

Lorsqu'il saisit qu'il était libre lui aussi, le jeune garçon se prosterna devant Lalune en bégayant :

– Maître… maître…

Lalune le releva et lui parla en détachant les mots :

– Moi, pas maître, moi ami.

– Ami? répéta le garçon sans paraître comprendre.

– Oui. Ami.

Je sentis qu'entre ces deux-là un lien très fort allait se tisser et instinctivement j'en fus jaloux.

4

La cargaison fut vendue rapidement. Nous nous en partageâmes le prix selon la coutume. Lalune remit la totalité de sa part à un Gros-Peter hilare qui s'empressa de la dépenser dans les tavernes du port en se glorifiant d'avoir réussi à vendre un esclave dix fois sa valeur.

Nous enterrâmes Debrest dans le petit cimetière des boucaniers, sans le secours de l'Église, mais avec une bonne prière et une croix de bois pour marquer sa sépulture.

Puis nous entreprîmes de réparer la frégate.

En quelques jours, nous remîmes ses mâts et ses voiles en état. Il faut dire que la facilité avec laquelle nous avions réussi notre premier coup nous avait motivés et que nous rêvions déjà de prises encore plus belles.

Lalune avait tenu à faire baptiser son protégé. Il s'appelait maintenant Jules et la suivait comme son ombre. Elle passait beaucoup de temps à lui apprendre le français dont il connaissait déjà les rudiments. Je craignais qu'il prenne dans sa vie une place qui me revenait. Mais bien sûr, je ne lui en fis pas la remarque.

Nous chargeâmes de l'eau, des vivres, de la poudre pour les canons et nous embarquâmes.

Avec Leroux et Lalune nous avions étudié un plan qui nous permettrait de nous emparer d'un de ces lourds vaisseaux regorgeant d'épices, d'or, d'argent, de pierres précieuses qui s'acheminaient vers l'Espagne, l'Angleterre ou la Hollande. Il suffisait de se poster à proximité des passages que les navires empruntaient pour éviter les écueils nombreux en mer des Caraïbes et de leur donner la chasse. Notre frégate, plus légère, plus maniable n'aurait aucune peine à les aborder, puis à les piller. Au fur et à mesure que nous parlions, nous nous échauffions. L'aventure était excitante, et l'appât du gain nous stimulait.

Nous levâmes l'ancre avec un équipage composé des anciens boucaniers et de la plupart des Noirs que nous avions libérés. Nous fîmes une première escale à l'île de la Tortue. C'était le repaire de tous les flibustiers des Caraïbes et nous espérions y obtenir des renseignements.

Las, nous ne fûmes pas reçus aussi chaleureusement que je l'avais espéré. Nous n'étions qu'un groupe de flibustiers parmi tant d'autres.

Et tous étaient, comme nous, à la recherche de l'indice leur indiquant qu'un vaisseau lourdement chargé allait croiser dans les parages. Les flibustiers de renom nous regardaient d'un air narquois et il y eut plusieurs bagarres entre des pirates rouges et des anciens compagnons de sir Henry Morgan qui s'étaient moqués de notre inexpérience. Certains d'entre nous perdirent beaucoup d'argent et leurs illusions dans les tavernes du port.

– Si nous restons ici plus longtemps, nous n'aurons bientôt plus un marin vaillant, soufflai-je à Leroux.

– Tu as raison. Levons l'ancre dès demain et fions-nous à notre instinct. Ce serait bien le diable si en naviguant sur la route vers l'Europe nous ne croisions pas une proie !

Ce que nous fîmes.

Nous sortîmes de la baie et nous nous laissâmes pousser doucement par le vent en direction du large. Plusieurs fois, la vigie s'époumona :

– Vaisseau en vue par tribord !

Aussitôt, je saisissais la longue-vue et j'examinais le bâtiment. La première fois, il s'agissait d'une *flota* de trois galions espagnols. Trop gros pour nous. Je dus l'expliquer aux hommes qui étaient déjà sur le pont, prêts à en découdre.

La deuxième fois, il me parut que c'était un sloop de pirates qui comme nous écumait la mer, il n'avait pas de pavillon et nous nous éloignâmes poliment l'un de l'autre.

La troisième fut la bonne. Il s'agissait d'une frégate. Je comptai seulement seize canons et il ne devait pas y avoir plus de soixante hommes d'équipage.

– Il est pour nous ! dis-je à Leroux.

– Hissez les voiles ! cria-t-il.

– On y va ? me demanda un boucanier les yeux brillants de convoitise.

– Oui. On va en faire une bouchée ! m'exclamai-je.

– Tant mieux, me répondit Lalune, parce que moi je n'ai pas encore engrangé une pièce !

– Sois prudent, Lalune. N'oublie pas que tu dois toujours être derrière moi.

– Eh bien, avec toi devant et Jules sur mes talons, je ne risque pas de m'envoler ! plaisanta-t-elle.

Je fis la moue. Je lui en voulais de me mettre sur le même rang que Jules.

Las, alors que tout était prêt pour l'attaque, la *Santa-Maria*, toutes voiles dehors, vira de bord pour se diriger vers la côte et y trouver refuge. Leroux ordonna de la suivre. Mais nos anciens boucaniers n'étaient pas aussi habiles que les marins de la *Santa-Maria*. Ils manquèrent de dextérité, de rapidité, ne surent pas prendre le vent et la frégate espagnole fila sans que nous puissions la rattraper.

Leroux s'emporta, traita notre équipage d'incapable. Les boucaniers grognèrent, accusèrent ces « fainéants de nègres » qu'ils commencèrent à frapper pour évacuer la tension nerveuse qui les avait fait vibrer. Mais fiers de leur statut d'hommes libres, les Noirs ripostèrent. La bagarre qui s'ensuivit risquait d'être meurtrière car, après les poings, ce furent les couteaux qui s'agitèrent. Je ne savais comment les arrêter sans entrer dans l'action et risquer un mauvais coup. J'avais beau hurler :

– Arrêtez ! Arrêtez !

Ils ne m'entendaient pas.

Soudain, Lalune tira un coup de fusil en l'air et profita d'une seconde de calme pour crier :

– Arrêtez-vous ! Si vous vous battez à la première anicroche, mieux vaut débarquer tout de suite ! On vous a promis de belles prises, vous les aurez. Mais un peu de patience, que diable ! Une frégate nous a échappé, d'accord, mais il y en a des centaines d'autres à prendre !

Lalune avait trouvé le ton et les mots justes. Penauds, ils remirent les poignards à leur ceinture, arrangèrent leur foulard rouge autour de leur cou, époussetèrent leur pantalon déchiré. Certains serrèrent la main des Noirs.

Profitant de l'accalmie, je montai sur un rouleau de cordage et j'annonçai :

– Le prochain sera pour nous !

Et afin de les encourager j'ajoutai :

– Et pour fêter dignement cette future prise, je vous cède la moitié de ma part de capitaine !

Lalune me lança un regard étonné et je vis de la réprobation dans l'œil de Leroux. Mais j'emportai l'adhésion de l'équipage qui s'exclama :

– Hourra ! Vive le capitaine Josselin !

C'était ce que je voulais. Car je sentais bien que je devais asseoir ma position de capitaine et que ce n'était pas en qualité de marin que je pouvais le faire puisque la navigation était nouvelle pour moi.

Nous restâmes plusieurs jours en mer sans voir aucun vaisseau.

Leroux saisit cette occasion pour nous former au métier de marin. Les nègres se révélèrent particulièrement agiles et rapides à grimper dans les cordages et habiles à carguer les voiles. Les boucaniers se révélèrent plus efficaces à armer les canons et à tirer au fusil. Malheureusement certains commencèrent à jouer et à boire plus que de raison, entraînant les Noirs dans leurs vices. Les esprits s'échauffaient, les langues parlaient pour ne rien dire. Je pense que Lalune et moi eûmes tort, à ce moment-là, de ne participer ni à leurs jeux ni à leurs beuveries. À dire vrai, ce n'est pas que je me sentais supérieur à ces gens-là, c'est qu'au contraire, connaissant trop mon penchant pour la boisson et le jeu, je préférai m'abstenir afin de ne pas y sombrer. J'aurais eu trop de honte si Lalune m'avait vu tituber ou vomir sur le pont.

Si j'avais su, j'aurais été plus proche de mes hommes, quitte à jouer aux cartes avec eux et à boire quelques pintes de tafia.

Mais il me sembla plus utile de me familiariser avec la mer, les termes de marine et d'apprendre à lire la direction dans les étoiles.

Et puis la chance nous sourit. Enfin, c'est ce que je crus.

La nuit commençait à tomber lorsque la vigie hurla :

– Vaisseau en vue par tribord avant !

Je saisis la longue-vue.

Il s'agissait d'un navire marchand de belle taille. Je comptai dix-huit canons. Ce serait une prise facile et qui rapporterait gros.

– Toutes voiles dehors ! commandai-je.

– Hissez le grand foc ! ajouta Leroux.

Les matelots obéirent et les boucaniers apprêtèrent les canons en couvant d'un regard avide le vaisseau dont nous nous approchions rapidement.

– Il est trop chargé ! remarqua Leroux. Il ne peut pas nous échapper !

Des cris de joie saluèrent cette information.

Le drapeau blanc à fleurs de lys flottant au grand mât indiquait un navire français. Cela m'ennuya. Je le dis à Leroux qui rétorqua :

– Si on ne l'attaque pas, les hommes ne vont pas comprendre. On risque une mutinerie.

– Capturer un navire français, c'est contraire à mon honneur.

– Les flibustiers n'ont pas de nationalité. L'honneur des gens de mer n'a rien à voir avec celui d'un gentilhomme et, en devenant flibustier, c'est à la loi de la flibuste que tu dois obéir. Nous sommes les maîtres de la mer et tout bâtiment flottant appartient à qui le prend.

Je savais cela. Mais jamais je n'avais envisagé qu'un jour je serais confronté à ce dilemme. Je manquais vraiment de chance. Des centaines de vaisseaux anglais, espagnols, hollandais sillonnaient les Caraïbes, et il fallait que celui qui croise ma route soit français !

Il était trop tard pour reculer. Lalune posa une main sur mon bras et murmura :

– Je me demande si tu as l'étoffe d'un vrai flibustier.

J'ignore dans quelle intention elle me dit cela, mais sa phrase piqua mon orgueil, et je criai aux canonniers :

– Première sommation !

Le coup de semonce frappa la proue du navire français sans y faire de dégât. J'espérais qu'il se rendrait sans combattre. Je me trompais. Une bordée de coups de canon laboura notre pont, y faisant plusieurs victimes.

– Canons un, deux et trois en position ! hurla Lalune. À mon commandement : feu !

Mais le capitaine de *La Conquérante* avait habilement viré de bord et nos boulets éraflèrent à peine sa coque. Nos coups peu efficaces agacèrent mon équipage.

– Il se défend, le bougre ! grogna un boucanier le fusil sur l'épaule, mais il ne perd rien pour attendre !

Leroux manœuvra parfaitement bien notre frégate et nous nous trouvâmes bientôt bord à bord.

— À l'abordage ! hurla Lalune avant que j'aie eu le temps de l'ordonner moi-même.

Nos hommes envoyèrent des grappins et s'arc-boutèrent pour rapprocher les deux coques. J'allais sauter le premier sur le pont de *La Conquérante*, le sabre au clair, lorsque le visage qui apparut face à moi me glaça de stupeur.

C'était ma sœur, Agathe, un poignard à la main.

— Josselin ? interrogea-t-elle.

Aucun son ne franchit ma gorge. Je baissai mon sabre et, me retournant vers Lalune, je bredouillai :

— Ma sœur est sur ce navire, et ma mère aussi certainement… Je ne peux pas…

Le temps sembla s'arrêter. Les deux parties s'observèrent quelques secondes en attendant les ordres. Le capitaine de *La Conquérante* profita de cette hésitation pour recharger ses canons dont une nouvelle salve, à bout portant, cassa notre beaupré. Ensuite, par une habile manœuvre, il nous coupa le vent et s'éloigna à vive allure. Ils étaient sauvés. J'en fus soulagé. Pourtant, je savais que j'étais perdu.

De nombreuses victimes étaient allongées sur notre pont, mortes ou gémissantes, et ce qu'il restait d'équipage cria son indignation :

— Tu es fou ! Abandonner un vaisseau qui était à notre merci !

– Tu as trahi tes frères de la flibuste.

– Il fallait se jeter sur eux, les pourfendre! Il n'y avait pas plus de cent hommes d'équipage.

– Tu mérites la mort!

Je ne fis pas un geste pour me défendre. C'était inutile. Je connaissais le sort réservé à un capitaine n'ayant pas su mener ses hommes à la victoire. Et puis que faire à un contre vingt? Les Noirs m'auraient sans doute défendu mais beaucoup étaient morts et les autres, terrorisés, s'étaient cachés à fond de cale. On me lia les pieds et les mains. Mais le plus terrible c'est qu'ils firent subir le même sort à Lalune et à Jules. Je m'insurgeai:

– Eux n'ont rien fait! Laissez-leur la vie!

– Ils sont tes complices et ne valent pas mieux que toi.

Alors que le jeune Jules roulait des yeux blancs de peur, j'admirai le calme de Lalune.

Désespéré à l'idée de l'entraîner dans mon infortune, j'invectivai Leroux:

– Lalune a obéi à mes ordres. Il n'est pas coupable.

– Désolé, Josselin, mais tu n'as pas l'étoffe d'un capitaine et lui non plus.

– Tu veux ma place, c'est ça? m'étranglai-je.

– C'est la loi de la flibuste. Les hommes n'ont plus confiance en toi. Je deviens donc leur nouveau capitaine. Mais je suis bon prince et, en souvenir de Debrest, je vous laisse la vie sauve.

– Dois-je te remercier? ripostai-je amer.

Leroux haussa les épaules.

– Selon la coutume, on vous débarquera sur une île déserte. Et là, tu pourras jouer au capitaine, y aura pas de danger… sauf celui de crever de faim et de soif!

Il éclata de rire.

Je m'en voulus de m'être trompé sur cet homme que j'avais pris pour un ami. J'aurais dû savoir que, dans la flibuste, l'appât de l'or détruit toute amitié.

Sur une île déserte

1

On nous débarqua sur l'un de ces îlots qui pullulent dans la mer des Caraïbes sans aucun bagage, sans vivres, sans eau.

– Un homme qui se laisse dominer par ses sentiments est un faible et y a pas de place pour lui dans la flibuste, m'assura Leroux avant que je quitte notre vaisseau. Je ne te dis pas à bientôt, mais bonne chance ! Tu en auras besoin pour survivre.

Le sourire ironique qu'il affichait me mit hors de moi et je lui lançai :

– Et moi je te dis à bientôt et que la guigne soit avec toi !

Il leva la main pour me frapper, mais je l'esquivai en descendant rapidement dans la barque qui devait nous déposer sur notre île, le bâtiment ne pouvant pas s'approcher trop près du rivage que de nombreux récifs rendaient inaccessible.

J'étais terriblement humilié d'avoir entraîné Lalune dans cette cruelle aventure. J'aurais cent fois préféré la mort à condition qu'elle puisse rester avec les autres, mais on ne m'avait pas laissé le choix.

Je n'étais qu'un rêveur, un faible. Leroux avait raison. Lalune allait me repousser, me reprocher ma conduite, et le peu de jours qu'il nous restait à vivre sur cette île serait un calvaire.

J'étais là, tourné vers la mer, incapable de réagir.

– Nous voilà enfin chez nous ! s'exclama Lalune d'une voix joyeuse.

Avait-elle perdu la tête ? Se moquait-elle de moi ?

Elle me sourit et poursuivit :

– Nous allons explorer notre île et nous y installer le plus confortablement possible, après nous aviserons.

Son attitude était déconcertante. Croyant qu'elle n'avait pas bien mesuré l'horreur de notre situation, j'insistai :

– C'est une île déserte. Il n'y a rien, rien du tout.

– Comment cela, rien ? Il y a des palmiers avec des noix de coco, la mer avec ses poissons et ses coquillages, sans doute des oiseaux. C'est suffisant pour vivre, non ?

Son ton enjoué me piqua. J'eus honte de m'être laissé envahir par le découragement et, pour la première fois depuis de longues semaines, je la serrai dans mes bras.

– Tu ne m'en veux pas ? lui demandai-je.

– Pas du tout. Tu ne pouvais pas agir autrement. Et si tu avais accepté que nos hommes s'emparent de *La Conquérante* au risque de massacrer ta sœur et ta mère, je ne l'aurais pas supporté. Une mère, c'est sacré.

Lalune ne me méprisait pas. Le reste m'indifférait. Je l'embrassai fougueusement.

Lorsque je détachai enfin mes lèvres des siennes, je vis le regard stupéfait que Jules posait sur nous. J'étais si soulagé, si heureux et il était si drôle que j'éclatai de rire.

– Voyons, Jules, remets-toi, ce n'est pas ce que tu penses ! Lalune est une demoiselle !

– Une… une demoiselle ?

– Oui, oui. Je te l'assure. Elle porte des habits masculins, pourtant c'est une demoiselle.

– Mais elle s'est battue comme un homme et…

– Je te l'accorde ! intervint Lalie. Je ne sais ni coudre, ni broder, ni danser, ni jouer du piano, mais je sais tenir un fusil, un poignard, un sabre et je sais aussi boucaner. Et ça, je le dois à mon père… Dieu ait son âme.

Puis comme si tout cela était sans importance, elle nous dit :

– J'ai faim, pas vous ?

– Si. Hélas, nous n'avons rien à manger, déplorai-je.

– Tu parles en gentilhomme habitué à ce que son repas lui soit amené tout rôti ! se moqua-t-elle. Tout est là, autour de nous, il suffit de nous servir.

– Nous n'avons même pas une arme pour la chasse !

– Si, si, fanfaronna-t-elle.

Elle tira de la ceinture de son pantalon un couteau qu'elle y avait caché et le brandit comme un trophée.

Les mots me manquèrent pour lui signifier mon admiration. Aussi je la pris dans mes bras et la fis tourbillonner autour de moi.

– Je sais att'aper les poissons à la main, nous prévint Jules.

– Et moi, je vais grimper à la cime de ce palmier pour y cueillir des noix, proposai-je pour ne pas être en reste.

Jules plongea dans la mer. Je m'agrippai au tronc, je progressai d'une bonne longueur puis je glissai, je remontai, je m'écorchai les genoux, pestant contre la hauteur de cet arbre gigantesque. J'en avais pourtant escaladé des pommiers à Kercado… mais rien à voir avec un palmier. J'étais en sueur et mort de soif. Je devais réussir. Il était hors de question que j'abandonne. Lalie me suivait des yeux et c'est son regard qui me poussait vers la cime. Enfin, je touchai les coques vertes. Avec le couteau j'en coupai l'attache et trois dégringolèrent sur le sol.

– Et voilà ! m'exclamai-je comme si j'avais remporté une immense victoire.

Jules sortit de l'eau avec deux poissons de belle taille.

À leur vue, Lalie battit des mains comme une enfant, puis elle se ravisa :

– Cru, ce sera moins bon.

– On va les fai' cuir', suggéra Jules.

– On n'a pas de feu…

– Je sais fai' du feu avec deux mo'ceaux de bois.

Elle se jeta à son cou et lui claqua un baiser sonore sur la joue. Il en fut si interloqué qu'il resta un instant la bouche aussi ronde que celle de ses poissons.

Il chercha deux morceaux de bois, des feuilles sèches, des brindilles et s'activa à faire tourner entre ses doigts agiles un des bouts de bois contre l'autre. Une fumée légère se dégagea enfin, et les brindilles s'enflammèrent.

– Bravo, Jules ! Tu es notre sauveur ! le félicita Lalie.

La jalousie me mordit le cœur. J'aurais voulu que ces paroles me fussent adressées !

Après avoir mangé le poisson grillé et bu le lait de coco, que Lalie m'apprit à extraire de la coque, nous explorâmes notre île.

Elle n'était pas grande. Nous avions abordé sur la côte la plus hospitalière. L'autre était constituée de rochers dont le plus haut s'élevait comme un phare au-dessus de la mer agitée de forts courants et parsemée de dangereux récifs. Elle était essentiellement plantée de palmiers et une jungle dense, que nous eûmes du mal à pénétrer, en occupait le centre. Nous dérangeâmes quelques singes et probablement quelques serpents, mais aucun fauve ne semblait vivre là.

Je proposai alors de construire un abri. Cependant, le découragement me saisit lorsque je me rendis compte que sans machette pour couper les branches, les élaguer, les épointer, sans massue pour planter les piquets et sans lien pour assembler l'ossature, l'entreprise était vouée à l'échec.

— Moi je sais const'uire une hutte avec des feuilles, nous avoua Jules.

— Vrai ? s'étonna Lalie.

— Oui. Mon pè'e m'a app'is. Dans mon pays tous les hommes const'uisent leur maison avant de se ma'ier.

— Excellente initiative !

Ce Jules m'agaçait. Il savait faire tout ce que j'ignorais. Certes, je savais lire, écrire, compter, je connaissais un peu d'histoire, de géographie, mais à quoi cela me servait-il sur une île déserte ?

Et que Lalie s'émerveille devant le savoir de Jules m'était intolérable.

Il monta avec agilité aux troncs des palmiers qui m'avaient donné tant de peine quelques heures auparavant, y coupa des feuilles. Puis il nous expliqua comment les tresser. Lalie s'y révéla habile. J'y étais assez maladroit.

— Il faut teni' les feuilles ent'e les pieds et les c'oiser avec les mains, me reprocha-t-il après m'avoir montré plusieurs fois le bon geste.

J'abandonnai brutalement mon ouvrage et je décrétai excédé :

– C'est du travail de sauvages !

Lalie me lança un regard triste et lourd. Je regrettais déjà mon mouvement d'humeur, mais je n'allais tout de même pas m'abaisser à reconnaître que j'avais eu tort !

Furieux contre moi-même, je quittai la plage et m'enfonçai dans la forêt.

J'avais besoin de réfléchir.

Le temps passa. Le soleil plongea dans la mer.

Je ne me voyais pas revenir, tête basse, au bercail et dormir dans une hutte que je n'avais pas réussi à construire.

Toute la nuit j'imaginai Lalie blottie dans les bras de Jules, le « sauveur ». La fatigue me terrassa au petit matin et je finis par m'endormir, roulé en boule, au pied d'un arbre.

Ce fut la voix de Jules qui me réveilla :

– C'est dange'eux de dormi' comme ça su' le sol. Les serpents peuvent te mo'dre !

J'allais le rabrouer vertement en lui ordonnant de ne plus s'occuper de moi lorsqu'il poursuivit :

– Je t'ai che'ché toute la nuit. Mamoiselle Lalie était très inquiète. Elle a pas do'mi et moi non plus.

Je me sentis tout à coup bien ingrat et la honte me fit rougir. Mais comment me sortir de cette pénible situation avec dignité ?

Je me levai et balbutiai :

– Je… je suis désolé… je ne voulais pas…

Il interrompit mes excuses d'un geste évasif de la main.

– Je sais. Tu es éne've. Tu te fais de fausses idées. Tu connais des choses et moi d'aut'es choses… diffé'entes. C'est tout.

Sa sagesse me surprit. J'avais été franchement ridicule de m'emporter. Je lui tendis la main en souriant. Il la saisit sans un mot. Mais je compris que nous allions devenir amis.

2

Nous vécûmes plusieurs semaines ainsi.

Lalie se satisfaisait de cette vie simple : Jules pêchait, je ramassais des coquillages sur les rochers, nous buvions le lait de coco. Lalie tressait des nattes pour tapisser le sol et les murs de notre hutte et la rendre plus confortable.

– Nous sommes comme Adam et Ève à la naissance du monde ! plaisantait-elle.

Nos sentiments s'accommodaient bien de cette situation. Nous apprenions à nous connaître et à nous aimer et, je l'avoue, les premiers temps sur notre île furent idylliques.

Et puis les noix de coco se firent plus rares. Jules déterra des racines qu'il pressa pour en extraire un jus amer et désaltérant. Lalie et moi ne supportions plus le poisson et nous rêvions d'un morceau de bœuf et d'un grand pichet d'eau fraîche.

– Il faut partir d'ici tant que nous avons encore quelques forces, décidai-je, sinon…

Nous n'avions pas d'outil pour abattre les arbres. Nous entreprîmes donc de creuser un tronc que la mer avait échoué sur le rivage, mais la lame du couteau, qui était notre seule arme et notre seul outil, s'émoussa alors que nous avions réussi à l'évider de la valeur de dix ou quinze mains. Nous nous essayâmes à la construction d'un radeau. Nous attachâmes avec des lianes des branches bien serrées les unes contre les autres et nous fabriquâmes des rames.

Jules se proposa de monter seul dans notre frêle embarcation. Pleins d'espoir et d'appréhension, nous le regardâmes lutter pour franchir la barrière d'écueils. Il allait y parvenir lorsque notre esquif, frappé par les vagues, se disloqua. Lalie poussa un cri. Jules disparut à nos yeux. Lalie se blottit dans mes bras et nous scrutâmes avec anxiété l'océan écumant. Heureusement, Jules était un excellent nageur et il refit surface quelques instants plus tard.

Nous nous rendîmes à l'évidence. Impossible de quitter l'île sans une barque solide.

Fort déçu par nos tentatives infructueuses, je passais de longues heures à la pointe la plus élevée de l'île à fixer l'horizon. J'avais fabriqué avec des feuilles de palme des grands éventails que je me promettais d'agiter en cadence afin d'attirer l'attention de la vigie d'un vaisseau. Lorsque j'en apercevais un croisant au loin, j'agitais mes éventails, mais les vaisseaux restaient au large pour éviter les écueils et aucun ne me vit.

L'angoisse me tenaillait. Si l'on ne nous secourait, nous allions mourir de soif. Et si nous ne mourions pas, cette vie de bêtes nous userait et la folie s'emparerait de nous.

Lorsque j'étais à Kercado, Constant nous avait lu l'histoire d'un homme qui, après avoir survécu dix ans sur une île déserte, s'était jeté à l'eau de joie en apercevant le vaisseau venu le sauver et s'était noyé. Je ne voulais pas que nous finissions ainsi. Et à force de réfléchir, une idée m'illumina enfin. Ce soir-là, en regagnant notre hutte après avoir espéré en vain qu'un navire s'approche de notre île, je lançai à bout de nerfs :

— Ça ne peut plus durer! Les vaisseaux qui passent en plein jour ne peuvent pas nous voir.

Excité par la révélation que j'allais faire, je saisis les mains de Lalie et poursuivis :

— Mais si de nuit nous allumons un feu à la cime du piton rocheux, on nous verra de loin!

— La nuit, ce se'a dangereux, à cause des écueils, intervint Jules.

Je gardai le silence, fixant Lalie. Elle m'avait compris à demi-mot et s'écria :

— Tu veux les attirer pour qu'ils s'écrasent contre les rochers?

– Exactement !

Jules tourna vers nous ses grands yeux inquiets et marmonna :

– C'est pas bien, ça, Josselin, c'est pas bien. Tous ces pauv' gens…

– Écoute, Jules, c'est eux ou nous. Parce que si on ne trouve pas le moyen de quitter cet îlot, on va devenir fous.

– Un jou', un vaisseau s'arrêtera et…

– Tu sais bien que non ! Les écueils les empêchent d'approcher. Alors on va transformer cet énorme inconvénient en un grand avantage ! Ce sont les écueils qui nous sauveront.

– Mais si le bateau s'éc'ase cont'e les rochers, nous ne pou'ons pas emba'quer, remarqua Jules.

– Certes. Dans un premier temps, nous récupérerons la cargaison. Il y aura des vivres, de l'eau et aussi beaucoup de marchandises et…

– Et des morts aussi, beaucoup, coupa Jules.

– Jules a raison, reprit Lalie.

Je m'énervai.

– Oui, il y aura des morts, mais je n'ai pas d'autre solution à vous proposer ! Et puis, que diable, nous sommes des flibustiers ! Mais si vous avez une meilleure idée…

Ils restèrent muets. Chacun dut réfléchir à ma proposition, l'analyser et reconnaître qu'elle était la seule susceptible de nous tirer d'affaire.

– Comment vas-tu t'y prendre ? marmonna enfin Lalie.

Elle n'approuvait pas mon projet, je le sentis au son de sa voix, mais j'enchaînai en adoptant un ton résolument optimiste :

– Nous allons monter des branchages à la cime du piton et nous les enflammerons dès que nous apercevrons un vaisseau.

– C'est pas bien, ça, Josselin, grommela Jules.

– En attendant, si nous n'avions pas attaqué la frégate où vous étiez tous enchaînés comme des bêtes, tu ne serais pas libre ! m'emportai-je.

Il baissa la tête et, sur le coup, j'étais assez satisfait de l'avoir mouché. Je supportais mal ses critiques. Peut-être parce que je savais qu'il avait raison et qu'il me renvoyait une image dont je n'étais pas vraiment fier.

Afin de lui signifier que c'était moi qui commandais, je partis en direction du piton. En chemin, je glanai des branches mortes que je déposai au sommet de la roche dénudée et balayée par le vent. Puis je redescendis sur la plage et je ramassai des morceaux de bois que la mer y avait déposés. Lalie se joignit à moi, mais nous n'échangeâmes pas un mot. Cela me peina. Grandement.

Lalie partageait les idées de Jules et s'éloignait de moi. D'ici à ce qu'elle tombe amoureuse de lui et qu'elle me délaisse, il n'y avait qu'un pas. La perspective qu'elle pût le franchir me rendait atrocement malheureux et méchant.

Bientôt Jules arriva en traînant un tronc qu'il avait trouvé abattu dans la forêt.

N'ayant rien pour scier le tronc et couper les branches, nous montâmes un bûcher informe. Jules se révéla, une fois encore, plus habile que moi à cet exercice.

– Faut pas installer le bûcher si près du p'écipice, me conseilla-t-il, sinon le vent va l'ent'aîner dans le vide.

Je lui obéis sans enthousiasme. Par vanité j'aurais voulu tout diriger et tout réussir sans son aide. Il me semblait que l'amour que me portait Lalie avait besoin de prestige pour s'épanouir et, pour l'heure, je n'en avais aucun. En réussissant à lui faire quitter cette île déserte, mon honneur serait sauf et son amour définitivement acquis.

Enfin, tout fut prêt.

Jules et moi assurâmes le guet à tour de rôle à côté du bûcher.

La première nuit, je perçus la lumière d'un fanal dans le lointain, mais avant que je ne tente quoi que ce soit, la lumière disparut, le vaisseau avait viré vers le large. Lorsque c'était au tour de Jules, il ne se passait rien. Voyait-il des vaisseaux sans me les signaler ou le hasard voulait-il qu'aucun ne croise vers notre île lorsqu'il était de veille ?

Je l'ignore.

Lalie avait refusé de rester seule dans notre cabane et dormait sur une natte à côté de nous, se réveillant parfois pour scruter la mer quelques heures.

Les nuits se succédaient sans que je puisse exécuter mon plan.

Il aurait fallu une bonne tempête pour qu'un bateau en perdition se laisse berner par notre feu en croyant apercevoir la lueur d'un phare lui indiquant l'entrée d'un port où s'abriter... Et il faisait désespérément beau.

Nous occupions nos journées à dormir, à chercher de la nourriture et un moyen de nous désaltérer. Lalie m'évitait et préférait la présence de Jules.

Afin de ne pas perdre la face, je décidai de mon côté de jouer l'indifférent.

3

Enfin, une nuit, je vis la silhouette massive
d'une frégate dans le lointain. Depuis deux
jours, la mer avait changé d'aspect. Un vent vio-
lent s'était levé et creusait des vagues énormes.
Au large, c'était la tempête. Si ce vaisseau était
endommagé, il chercherait l'abri d'un port et
tomberait dans notre piège.

Je réveillai Jules qui était le seul à savoir allumer
le feu.

J'avais essayé plusieurs fois sans succès.

– Tu es blanc, s'était-il moqué, c'est no'mal
que tu y a'ives pas!

Lalie avait ri de mes déboires et cela m'avait
vexé.

– C'est le moment, lui dis-je.

Il frotta avec application deux morceaux de bois l'un contre l'autre. Il y mettait peu d'énergie à mon goût et je le houspillai :

– Hâte-toi, ou notre proie va filer !

Il n'arrêta pas ses gestes précis et ne me répondit pas.

Debout, Lalie regardait avec angoisse tantôt du côté du foyer, tantôt en direction du navire.

La fumée s'éleva bientôt, les premières brindilles crépitèrent et les flammes dansèrent. Je ne quittais plus le vaisseau des yeux. Allait-il se diriger vers nous ou fuir ?

Il hissa sans doute les dernières voiles qui n'étaient pas déchirées et vira dans notre direction.

– Il est à nous ! m'enthousiasmai-je.

Lalie m'adressa un regard lourd de reproches et, excédé par ces jours et ces nuits où elle m'avait fui, je criai :

– Je ne suis pas un monstre sanguinaire ! Je veux seulement nous sauver et il n'y a pas d'autre solution. C'est lui ou nous !

– Je le sais… mais c'est terrible.

Je n'avais pas entendu le son de sa voix depuis plusieurs jours et qu'elle accepte soudain de me parler me laissa à penser qu'elle m'avait enfin compris et qu'elle ne m'en voulait pas.

Je m'usais les yeux pour essayer d'apercevoir le pavillon qui m'indiquerait la nationalité du navire. Je n'en vis aucun. Je priai pour que ce ne fût pas un vaisseau français chargé de colons, de femmes, d'enfants. Je craignais fort de ne pouvoir assister froidement à la noyade de ces innocents. Non seulement me savoir coupable d'un tel forfait risquait de gâcher le restant de ma vie mais, en plus, j'étais certain de perdre Lalie.

Et puis, tout alla très vite.

La coque se fracassa sur les récifs avec d'effroyables craquements. Dans le choc, le grand mât se coucha, des éclats de bois s'envolèrent. Le vent nous apporta par rafales les cris des passagers terrorisés.

Lalie me prit la main.

– C'est affreux ! se plaignit-elle.

Ça l'était en effet. Jamais je n'aurais imaginé que la vue d'un vaisseau se disloquant ainsi me frapperait à ce point. Je serrai fort la main de Lalie. Trop sans doute, car elle gémit :

– Tu me fais mal.

Je restai quelques secondes décontenancé par le spectacle. Le vaisseau s'était couché sur les rochers sans sombrer car il y avait peu de fond. Les passagers se débattaient en hurlant, s'accrochant où ils pouvaient.

Curieusement, à cet instant, j'oubliai que j'étais l'auteur de ce naufrage et que le pillage était le but et j'ordonnai :

– Vite, aidons-les à regagner le rivage !

Nous dégringolâmes de notre perchoir et nous nous ruâmes sur la grève.

Malgré la force des vagues et du courant, Jules se jeta à l'eau pour récupérer quelques malheureux en train de se noyer, il les ramena sur le sable et, sans prendre le temps de souffler, repartit en chercher d'autres.

Ne sachant pas nager, je lançai des lianes vers ceux qui s'étaient accrochés à des morceaux de bois et je les tirai sur la terre ferme.

Lalie faisait de même. De l'eau jusqu'aux cuisses, elle s'arc-boutait sur le lien qui la reliait à deux hommes allongés sur une planche.

– Tenez bon! hurlait-elle.

Mon cœur s'enflamma d'admiration et d'amour et je m'activai pour essayer de sauver le plus de passagers possibles afin qu'elle fût fière de moi.

Un homme que je venais de déposer sur le sable me demanda dans un jargon mi-espagnol mi-français :

– Qui êtes-vous? Des pillards?

– Trois naufragés sur une île déserte, et vous?

– Je suis le second de cette frégate l'*Esperanza*. Nous avons chargé à Panama et faisions route vers l'Espagne. Nous étions dans une *flota* de trois navires, mais une tempête nous a dispersés. Nous avons cru que le feu indiquait l'entrée du port de Santiago où nous aurions pu réparer notre mât.

– Y a-t-il des femmes et des enfants à bord?

– Non. Des marchands et quatre-vingts membres d'équipage. Nous étions beaucoup trop chargés… C'est ce qui nous a perdus.

Je soupirai de soulagement. La chance était avec moi. J'avais échoué un vaisseau ennemi et je n'aurais aucune âme innocente sur la conscience.

Je courus vers Lalie et l'aidai à extraire de l'eau un homme au visage sanguinolent.

– Il n'y a ni femmes ni enfants, lui annonçai-je joyeusement.

– Je sais. J'ai posé la question au premier rescapé en état de me parler. Par contre, il paraît que les cales sont pleines de tabac et d'or.

J'étais stupéfait qu'elle ait pensé à se renseigner. Elle dut le lire sur mon visage, car elle enchaîna :

– Je suis un flibustier comme toi ! Ne l'oublie pas !

Sa mauvaise foi me fit sourire. Depuis plusieurs semaines, elle ne m'avait pas donné l'impression de partager mes ambitions de flibustier. Mais je préférais la sentir avec moi que contre moi.

Nous luttâmes le reste de la nuit pour ramener les survivants sur le sable. Nous en comptâmes soixante-deux et une dizaine de blessés que Lalie et Jules soignèrent de leur mieux, immobilisant les jambes ou les bras cassés entre deux planchettes, pansant les plaies.

Le capitaine était mort et aucun membre de l'équipage ne le regretta. J'appris qu'il était buveur, querelleur et injuste. Je me demandai même si ce n'était pas une mutinerie à bord qui avait désolidarisé l'*Esperanza* du reste de la *flota*.

Les marins ne nous tinrent pas rigueur de les avoir conduits au naufrage. Ils connaissaient les lois de la mer des Caraïbes et donc de la flibuste. Il y avait parmi eux des prisonniers évadés, des marrons, et surtout des hommes engagés de force ou embarqués à moitié saouls par des recruteurs. Rien que de très normal.

Trois marchands, furieux d'avoir perdu leur cargaison et d'avoir risqué leur vie, se jetèrent sur Jules et moi, poings en avant. Ils nous auraient sans doute fait un mauvais sort si les marins n'étaient point intervenus.

Je gage que certains n'étaient pas mécontents d'échapper à une longue et difficile traversée et que prendre le parti des pauvres contre celui des riches ne leur déplaisait pas.

Je me dégageai vitement de l'étreinte des marchands, puis je montai sur une caisse qui s'était échouée sur le rivage pour leur faire un petit discours.

– Nous regrettons de vous avoir naufragés. Mais nous n'avions pas d'autre choix. Il y a plusieurs semaines que nous sommes sur cette île déserte. Nous avons faim, soif et envie d'évasion.

Les marchands, les bourgeois et les officiers, qui s'étaient regroupés à l'opposé des matelots, levèrent le poing et proférèrent des menaces. Je ne me laissai pas impressionner et je poursuivis :

– Si vous êtes avec nous, il ne vous sera fait aucun mal car nous avons besoin de toutes les bonnes volontés pour quitter cet endroit... Si vous êtes contre nous, nous n'aurons pas de pitié car nous ne supporterons aucune entrave à notre projet.

Lalie s'était approchée de moi et soudain, elle cria :

— Et pour commencer, que diriez-vous d'un grand festin ?

Les matelots poussèrent des cris de joie alors que, médusés par cette proposition, les gens de qualité ne pipaient mot. Moi-même, je la dévisageais avec un si grand étonnement qu'elle me dit :

— Eh bien quoi, j'ai faim, abominablement faim et il y a certainement de la nourriture dans les cales. Inutile d'attendre que l'eau la gâte !

Elle n'avait pas tort, mais laisser l'or, le tabac et les épices au profit de la nourriture me parut sacrilège et je criai à mon tour :

— Déchargeons les cales ! Mettons au sec tout ce que nous pouvons ! Et si vous ne rechignez pas à la tâche, je vous promets un partage équitable comme dans la flibuste !

Cette proposition fut accueillie par des vivats tonitruants. Certains officiers et quelques bourgeois parmi les plus jeunes se précipitèrent à la mer avec les mousses et les matelots.

— On dirait que tu as conquis tout le monde ! me souffla Lalie.

— Sans eux, on n'y arrivera pas, alors il faut bien qu'ils en tirent profit. Et toi, si tu ne veux pas qu'on te laisse sur cette île de malheur, tu as intérêt à nous préparer un dîner digne des cours d'Espagne et de France réunies !

Elle me sourit et moi j'avais envie de la serrer contre moi parce que je voyais enfin la fin de ce cauchemar.

Le jour s'était levé et tous ceux qui savaient nager plongeaient dans la mer pour récupérer les caisses, les sacs, les tonneaux d'eau et de vin et les cadavres de poules, de moutons, de cochons. La marchandise passait ensuite de main en main en une longue chaîne humaine pour être déposée sur la terre ferme. Lalie, Jules et le coq du vaisseau se mirent aussitôt à plumer, dépecer, vider, et allumèrent un grand feu pour faire rôtir la viande et sécher le pain.

Pendant ce temps, je dirigeai ceux qui portaient les caisses contenant le précieux butin dans une grotte creusée dans la roche que j'avais remarquée lors de mon arrivée sur l'île et qui constituait un abri idéal.

Tout cela se fit dans une bonne humeur quasi générale. Les marchands et trois officiers refusèrent de nous aider.

— Comprenez, m'expliqua le sieur Dubancher, le plus âgé, que mon honneur m'interdit de piller ce navire.

Nous nous passâmes de leurs services et, après cinq heures d'efforts, le vaisseau fut aussi vide qu'une coque de noix mangée par les rats. Par contre la grotte était bien remplie.

Je retournai alors vers les marchands et je leur dis, magnanime :

– Vous pouvez récupérer vos malles et vos effets personnels. Nous n'y toucherons pas.

– Merci, monsieur, me répondit le sieur Dubancher, je vois que nous sommes entre gens de qualité.

Nous étions épuisés mais l'odeur de la viande grillée nous revigora.

Les matelots se précipitèrent vers les tonneaux de vin qui avaient été ouverts et y plongèrent n'importe quel récipient qu'ils trouvèrent.

– Au naufrage ! s'exclamèrent-ils en levant le coude.

– À la flibuste ! répondirent certains.

À ce moment-là, je vis qu'un jeune homme habillé de soie et de dentelles abîmées par la mer tenait Lalie par la taille.

4

Mon premier réflexe fut de lui sauter à la gorge pour l'étriper. Lalie était à moi. Je me raisonnai pourtant, parce qu'il me parut du plus mauvais effet que je me montrasse jaloux. Le cocu est toujours la risée des autres! Je me demandais cependant comment Lalie supportait que ce godelureau qu'elle ne connaissait pas la touche alors qu'il m'avait fallu de long mois avant d'obtenir d'elle un baiser. Évidemment, il avait pour lui un visage fin, une peau pâle et sans barbe et des cheveux bien coupés. J'avais le visage buriné par le soleil des Caraïbes, une barbe de plusieurs jours et une chevelure des plus difficiles à dompter. L'amour qui était né entre nous allait-il être balayé par l'apparence physique d'un inconnu? Je le craignais fort.

Je ravalai ma rancœur et choisis d'ignorer les deux tourtereaux.

Pour cela, je mangeai beaucoup et je bus plus que de raison. L'ivresse me fit rire, chanter, danser même et surtout dormir. Ce qui, pendant quelques heures, me permit d'oublier mon infortune.

Lorsque je m'éveillai, les reins rompus par le travail de la veille, la langue épaisse et la tête brumeuse, Lalie m'invectiva sèchement :

– Ah, bravo ! Quel beau spectacle tu nous as donné ! Tu chantes faux, tu danses comme un ours et tu bois comme un trou !

Quoi ! Elle se permettait de me faire des reproches alors que c'était elle qui les méritait ! Mon sang ne fit qu'un tour et je m'emportai :

– Tu ne manques pas d'audace ! Tout cela est ta faute ! Si tu n'avais pas cédé aux avances de ce… de ce…

Parce qu'elle m'avait blessé, je voulais lui rendre la pareille mais les mots me manquaient.

– Du marquis de Bois-Joli, termina-t-elle calmement.

– Un marquis ! Un marquis ! répétai-je.

– Oui. Un parfait gentilhomme. Il aurait pu être furieux, nous injurier et nous maudire d'avoir conduit l'*Esperanza* au naufrage, et il a pris cela avec un grand détachement, ce qui est tout à son honneur.

– Ma pauvre amie, il aurait dit n'importe quoi pour te séduire ! Et il y a parfaitement réussi !

– Tu perds la raison ! Je n'ai cédé à aucune de ses avances et nous avons simplement conversé comme des gens de bonne société.

– De bonne société ? Toi ? Mais il y a peu de temps encore tu n'étais qu'un boucanier. Tu ne connaissais rien à la conversation de salon et tu t'en moquais éperdument !

– C'est fort plaisant de ta part de me rappeler mes origines si crûment. Le marquis, lui, a goûté notre entretien et tout ce que je lui ai appris sur les Caraïbes l'a passionné. Si, par chance, il regagne Versailles il m'a promis de m'amener afin de me faire découvrir le théâtre, la musique, les bals. Il m'a avoué qu'il jouait de la guitare comme notre roi Louis. Il m'a déclamé de fort beaux poèmes et m'a proposé de m'en apprendre afin que je puisse en déclamer dans les salons littéraires où il me présentera.

– Ma parole, tu es aveugle ! Il ne cherche qu'à t'attirer dans ses filets par de beaux compliments. Et sincèrement, je ne crois pas que ta place soit à la cour !

– Tu te trompes ! En outre, je te rappelle que je suis libre de faire ce que bon me semble. Mon père, Dieu ait son âme, m'a obligée pendant plus de seize ans à vivre comme un garçon et je n'ai pas l'intention de retomber sous la coupe d'un autre homme qui me dictera ma conduite.

– Mais Lalie… je t'aime !

– Mon père aussi affirmait qu'il m'aimait. Pour l'heure, je veux mener ma vie comme je l'entends et aimer qui je veux.

– Et… tu ne m'aimes pas ?

– Je ne sais plus.

Le ciel me serait tombé sur la tête, je n'aurais pas été plus abasourdi.

Quoique, après coup, je me souvins que lors d'une conversation que nous avions eue dans les premiers jours de mon installation chez les boucaniers, Lalune (je ne savais pas alors que c'était une fille) m'avait dit qu'il rêvait d'aller à Versailles. J'avais ri. Est-ce que toutes les filles aiment le faste, les bals, les belles robes, les bijoux ? Pas Lalie. Elle me jouait la comédie. C'était certain. Mais pourquoi ? Ne lui avais-je pas assez montré mes sentiments ?

J'allais essayer de me rattraper par des paroles et des gestes tendres, lorsque Jules entra dans notre case.

— Te sens-tu mieux ? me demanda-t-il.

— Très bien, bougonnai-je.

Le marquis, qui était sur ses talons, renchérit :

— C'est heureux, parce que, hier soir, vous ne teniez plus debout ! Mais je vous comprends, vous aviez eu si soif sur cette île déserte que vous n'avez pas résisté à l'attrait de notre vin.

— Je n'ai que faire de votre compréhension, monsieur, lui répondis-je.

Après quoi, je me levai en espérant ne pas tituber et je sortis de la case en grognant à l'intention de Jules :

— Viens, nous avons du travail !

Le vent du large me fouetta le visage et les dernières vapeurs d'alcool qui embrumaient mon esprit se dissipèrent, mais ma colère et ma tristesse ne s'envolèrent point. Le meilleur moyen de cacher ma détresse était de m'activer. Aussi, je lançai à Jules :

– Il n'y a pas une minute à perdre. Il nous faut colmater les brèches de la coque de la frégate, dresser un nouveau mât, raccommoder les voiles et ce n'est pas en faisant le joli cœur que nous y parviendrons.

– Ça, c'est une bonne idée! m'approuva-t-il un large sourire aux lèvres.

Gentil Jules qui essayait d'adoucir mon infortune par sa jovialité!

Quelques marins, assis sur le sable, jouaient aux dés, d'autres dormaient à l'ombre des palmiers, les blessés, qui le bras en écharpe, qui la jambe serrée dans une attelle, qui le front ceint d'un bandeau ensanglanté reprenaient des forces, allongés sur la grève. Plus loin, des matelots se battaient pour mesurer leurs forces ou pour tout autre raison moins avouable. Autour d'eux un cercle s'était formé pour les encourager, à moins que des paris ne se soient ouverts sur leurs chances de gagner. Les officiers, les bourgeois et les marchands s'étaient installés à l'écart pour discuter et jouer aux cartes. Le coq et trois mousses préparaient un mets odorant sur un foyer improvisé.

Lorsqu'il m'aperçut, l'officier en second abandonna la partie et se dirigea vers moi du pas décidé de l'homme sûr de lui qui s'adresse à un subalterne.

— Et maintenant, que comptez-vous faire ? me demanda-t-il sans aménité.

Je voulus lui montrer que son grade ne m'impressionnait pas et que, sur cette île, c'était moi qui commandais et je lui répondis sur le même ton :

— Quitter enfin cette île.

Après quoi, je criai pour dominer le tumulte de la bagarre et réveiller les endormis :

— Messieurs ! Comme je vous l'ai promis, vous aurez chacun votre part du butin, mais pour cela il faut fuir cette île. Et la seule solution c'est de renflouer le vaisseau !

Des vivats éclatèrent pour saluer mon offre et je fus rapidement entouré d'une quarantaine de volontaires. J'eus la surprise de constater qu'il y avait parmi eux quelques officiers et même un marchand.

— J'ai perdu ma cargaison, me dit-il dans un français hésitant, et plus vite on rejoindra une ville marchande, plus vite je pourrai me refaire.

— Et moi, ajouta un officier, il me tarde de regagner l'Espagne où de nouvelles missions m'attendent.

— Tous les bras sont les bienvenus. Quel est votre nom monsieur ?

— Don Luis de Vegas.

— Eh bien, monsieur de Vegas, puisque vous êtes officier de marine, vous devez, assurément, connaître les vaisseaux ! Aussi, je vous nomme responsable de ce chantier.

Il s'inclina respectueusement devant moi pour accepter mon offre.

Je perçus alors les murmures désapprobateurs des autres officiers. L'un d'eux lança même assez fort pour que je l'entende :

– Quant à moi, je préfère mourir de faim et de soif sur cette île plutôt que de prêter la main à un écumeur des mers !

Je m'approchai du groupe des réfractaires et je leur dis :

– Priez Dieu que je ne vous prenne au mot et que je ne vous abandonne sur ce caillou car il n'y a pas de mort plus horrible que celle-là et c'est pour y échapper que nous avons été contraints de vous naufrager.

L'officier serra les lèvres et s'éloigna sans un mot.

Je l'ignorai donc et je me tournai vers les hommes d'équipage. Je lus de l'admiration dans leurs yeux. Eux avaient compris que mon seul désir était de nous sortir tous de cette île et aucun ne regimba lorsque je leur ordonnai :

– Allez récupérer les cordages, supprimez les canons qui alourdissent la coque, puis nous tirerons le vaisseau au sec !

Une dizaine de marins nagèrent jusqu'à l'épave. Ils jetèrent les canons par-dessus bord, accrochèrent des cordages à des points d'ancrage solides, puis ils revinrent sur le rivage, la corde entre les dents.

Nous saisîmes les cordes et à chaque « Oh! hisse! », nous tirions en cadence de toutes nos forces, enfonçant nos pieds dans le sable pour être plus stables. Pas à pas, le vaisseau avança vers nous. L'excitation nous gagnait. Il fallait coûte que coûte pouvoir le réparer. Le coq et les mousses abandonnèrent leur tambouille pour nous aider. Arc-boutés, le souffle court, le cœur battant, les mains meurtries, les pieds échauffés, la sueur nous inondant le visage et le corps, nous tirions.

Alors que le soleil était au zénith, Lalie se plaça dans une file voisine de la mienne et joignit sa force à celles des marins.

Lors d'une pause que nous fîmes pour boire, je vis que le marquis assis avec les officiers ne participait pas à nos efforts. Je regardai Lalie pour connaître sa réaction, mais elle détourna aussitôt les yeux.

Nous ne nous arrêtâmes qu'à la tombée de la nuit. Le vaisseau avait progressé mais il faudrait au moins deux jours avant qu'il soit suffisamment proche du rivage pour que nous puissions le réparer.

J'aurais voulu embarquer tout de suite. Fuir cette île et ce marquis afin de m'occuper uniquement de reconquérir Lalie.

5

Nous enterrâmes fort religieusement les morts que la mer avait rejetés sur la plage. Comme il n'y avait pas de prêtre à bord, le second lut un passage de la Bible et fit l'éloge funèbre, puis nous chantâmes un cantique et déposâmes sur les tombes une croix de bois et quelques feuillages car il n'y avait pas de plantes à fleurs sur cette île.

Quatre jours plus tard, nous pûmes entamer les réparations.

À dire vrai, je n'y connaissais rien en navire et je fus content de laisser le sieur de Vegas diriger les opérations. Il le fit avec talent. Jules et moi nous mîmes sans rechigner sous ses ordres, car il était hors de question que je ne participe pas à la réfection de ce vaisseau dont j'allais bientôt devenir le capitaine. Trois officiers, deux marchands et autant de bourgeois refusèrent de travailler.

Pendant deux jours, le marquis de Bois-Joli fit semblant de nous aider sous le regard attendri de Lalie qui, avec Jules, avait entrepris de recoudre les voiles déchirées. Hélas, il maniait le marteau comme une cuillère d'argent. Il gênait ceux qui travaillaient et, comble d'audace, il se permettait de nous donner des conseils, alors que, manifestement, il était aussi ignare que moi en construction navale. À un moment, alors qu'il paradait en nous contant je ne sais plus quelle histoire où il avait le beau rôle, il se frappa violemment sur l'index. Il cria, jura et lança dans l'océan son outil dans une attitude tout à fait puérile, puis, soutenant son doigt meurtri, il se précipita vers Lalie.

Je les observai du coin de l'œil sans pour autant arrêter mon travail.

Elle le plaignit, lui banda le doigt, le réconforta.

Je le trouvai ridicule et pathétique. Comment Lalie, habituée à la rude existence des boucaniers, pouvait-elle supporter ces jérémiades ?

Un seul mot me vint à l'esprit et me tortura : l'amour. Elle était aveuglée par l'amour au point de ne pas voir la couardise de ce petit marquis. Subjuguée par ses belles manières et son titre, elle était tombée sous son charme.

À mon tour, par manque de concentration, je me tapai sur le doigt. La douleur m'irradia tout le bras, mais je retins le juron qui me monta aux lèvres. Le marquis aurait été trop heureux de remarquer que nous subissions le même sort. Je continuai donc à marteler le bois sans que mon infortune ne transparaisse sur mon visage. Ce ne fut point difficile car la souffrance occasionnée par Lalie enamourée de ce nobliau était bien plus grande que celle produite par le coup que je m'étais porté.

J'aurais voulu lui ouvrir les yeux, lui dire que cet homme n'était qu'un prétentieux, un douillet, un pas grand-chose, mais comment m'y prendre ? J'ignorais comment parler à la gent féminine. Ce que je savais d'elle, je l'avais appris dans les tripots du port avec des filles qui vendaient leurs charmes pour quelques pièces et assurément cela ne m'était d'aucune utilité pour convaincre Lalie.

Pour ne plus la voir tendrement penchée vers son marquis, je m'enfonçais dans la cale afin de colmater les fissures de la coque.

De toute façon, Lalie m'évitait. Au début, elle nous avait donné la main, mais le sieur de Vegas lui avait expliqué :

– Mademoiselle, votre place n'est pas parmi nous et il ne sera pas dit que j'ai fait travailler une femme comme un forçat. Vous avez ravaudé les voiles et c'est bien suffisant.

Être considérée comme une dame était, somme toute, assez nouveau pour elle et elle en fut flattée.

Elle s'éloigna donc du chantier et en profita pour se laisser conter fleurette par le marquis. Certains des officiers qui avaient dans leur malle des vêtements féminins de belle soie et d'indienne[1] achetés pour leur épouse ou leur promise les offrirent à Lalie et elle arbora bientôt une superbe robe de soie jaune qui lui allait à ravir.

Ce jour-là, il me sembla que je l'avais définitivement perdue.

D'ailleurs, elle ne dormait plus dans notre case. Elle s'en était fait construire une pour elle seule. Mais je me torturais le cœur et l'esprit en imaginant qu'elle la partageait peut-être avec Bois-Joli.

Plusieurs soirs de suite, j'avais tenté de les surprendre. Mais j'étais si fatigué que je m'étais endormi en faisant le guet. J'avais proposé à Jules de prendre la relève, il m'avait répondu :

– Je comp'ends ta peine, Josselin, mais Lalie est lib'e. Et j'au'ais grand honte de la su'veiller.

Pour m'éviter de trop souffrir, je donnais donc tout mon temps à la réfection du vaisseau, ne m'arrêtant que pour manger, boire et dormir.

Cependant, plus les jours passaient, plus ceux qui travaillaient dur pour réparer le vaisseau supportaient avec difficulté la vue des officiers et des

1. Tissu de coton nouveau à l'époque et très cher.

marchands en train de jouer aux cartes à l'ombre des palmiers. Un vent de révolte se leva.

– Ça ne peut plus durer! s'emporta un soir un marin. Sur un vaisseau, je dois obéissance aux officiers. Là c'est différent, on est à terre. Ils doivent trimer comme nous!

– Ouais! crièrent plusieurs matelots. Tu as raison le Breton!

Ils abandonnèrent leurs outils et se dirigèrent vers le groupe des notables. J'essayai de m'interposer. Une rixe serait catastrophique.

– Voyons, dis-je aux marins, vous savez bien que les officiers ne feraient pas un aussi bon travail que vous. Un outil à la main, ils ne valent rien!

Ma boutade fit éclater quelques rires, sans décourager le meneur de la bande qui reprit :

– Certes. Mais ils nous narguent!

– Pourtant, c'est vous qui avez le beau rôle! Souvenez-vous que toute la cargaison est pour vous. Alors le mieux est de les ignorer. Continuez et, dans moins d'une semaine, nous mettrons les voiles et à vous la richesse!

Le meneur se renfrogna mais retourna à son poste. Je poussai un soupir de soulagement. La rixe était évitée.

Je me dirigeai vers les officiers qui s'étaient levés. Certains avaient même mis leur sabre au clair. Ils avaient dû avoir peur, ce qui n'était pas pour me déplaire.

– Rangez vos armes, leur dis-je, et je vous conseille aussi de ne point rester à vous tourner les pouces tandis que vos hommes s'activent pour nous sortir de cette pénible situation.

– C'est à vous, monsieur, que nous devons notre pénible situation ! me lança le marquis de Bois-Joli. Et je n'ai ni ordre ni conseil à recevoir d'un... d'un pirate de bas étage !

Je serrai les poings pour contenir l'envie que j'avais de lui en envoyer un en plein visage, ne serait-ce que pour le défigurer car il était toujours aussi bien rasé, coiffé et habillé. Comme tous les officiers, il consacrait plusieurs heures à se faire apprêter par le barbier du bord.

Enfin, après des semaines de travail acharné, l'*Esperanza* fut prête à reprendre la mer.

Lorsque le sieur de Vegas l'annonça aux officiers et aux marchands, ils s'exclamèrent :

– Enfin, voilà une bonne nouvelle !

J'avais mûrement réfléchi à ce que j'allais faire des passagers. Je savais que, dans la flibuste, le capitaine est choisi à son mérite et selon l'admiration qu'il inspire à son équipage. Je n'avais pour l'heure pas grand mérite, quant à l'admiration... Je leur avais bien promis le partage des cales de l'*Esperanza* mais je craignais que cela soit insuffisant si je voulais être obéi à bord. Il fallait que je me distingue par un coup d'éclat.

– Je pense, messieurs, dis-je, qu'il ne serait point sage que tout le monde embarque. Si ceux qui ont travaillé pour remettre le vaisseau en état vont bien prendre la mer, vous demeurerez ici !

– Co… comment ? s'étouffa le second.

– Parfaitement. Vous n'avez rien fait pour mériter votre retour.

– Monsieur, vous êtes un… un malotru ! me rétorqua le marquis.

– Oui, je le reconnais, je ne suis pas de bonne noblesse et je n'ai aucune fortune, mais c'est grâce à mon courage que j'acquerrai l'un et l'autre. Je suis désolé que vous vous soyez trouvés sur mon chemin. Pour l'heure, vous me gênez pour accomplir ma destinée et je n'ai nul besoin d'une bande d'incapables sur mon vaisseau.

Les marins accueillirent mon petit discours par des acclamations de joie :

– Voilà qui est bien parlé ! s'exclama un géant roux. M'être éreinté pour ces beaux messieurs, ça me tordait le ventre !

– Vrai ! assura un jeune matelot, vous êtes digne d'être notre capitaine.

– Vive la flibuste ! reprirent quelques autres.

J'avais vu juste. Les matelots n'étaient pas fâchés de se débarrasser de ceux qui les avaient méprisés.

Soudain, Lalie s'avança vers moi et me dit :

– Tu ne parles pas sérieusement ?

– Si fait.

— Tu vas abandonner ces gens ?

— Ils n'ont que ce qu'ils méritent.

Elle me toisa un bref instant puis tourna les talons.

Je n'eus même pas le temps de lui expliquer que, dès que nous aurions mis pied sur l'île de la Tortue, j'avais prévu d'envoyer un navire pour les récupérer.

L'ivresse de l'approche du départ fut ternie par la tristesse de savoir que j'avais définitivement perdu Lalie.

Le trésor
de l'Armadilla

1

Profitant d'un vent favorable, cinq chaloupes tirèrent notre vaisseau vers le large.

Jusqu'à la dernière minute, j'avais espéré que Lalie me rejoindrait.

Il n'en fut rien.

Elle avait revêtu sa plus belle robe et, au bras du marquis de Bois-Joli, elle ne marqua aucune émotion lorsque notre navire s'éloigna. J'aurais voulu rester accoudé au bastingage pour la voir jusqu'à la dernière seconde, mais je ne le pus pas, car j'étais le capitaine. De Vegas dirigea fort bien la manœuvre, mais je me devais d'être à ses côtés pour asseoir mon autorité.

Jules n'avait pas voulu embarquer avec nous.

– Je reste avec Lalune... enfin Lalie, me dit-il. Elle a besoin de que'qu'un pou' veiller su' elle, et j'ai pas confiance en ce Bois-Joli.

Je lui avais serré la main. Le savoir auprès de Lalie me réconfortait.

– Merci, Jules. Prends bien soin d'elle.

Après tout ce que nous avions vécu ensemble, je ne comprenais pas qu'elle me laisse partir seul. Il m'avait semblé que de tendres liens nous unissaient et m'être ainsi trompé sur ses sentiments me rendait furieux et triste.

Je me jurais de ne plus jamais tomber amoureux, mais de consacrer ma vie à la flibuste afin de me couvrir d'or et de séduire les demoiselles de la meilleure société sans jamais leur accorder mon cœur. Bientôt, je l'espérais, Lalie regretterait de m'avoir quitté parce que je serais cent fois plus riche que ce petit marquis, mais il serait trop tard. Mon amour ne renaîtrait pas de ses cendres. Et quel plaisir j'aurais à la narguer lorsque, somptueusement vêtu, je me pavanerais au bras d'une duchesse couverte de bijoux !

C'est ce que je me disais, les poings serrés et les yeux humides, tandis que nous voguions vers le large.

Nous n'avions pas réinstallé les canons car leur poids nous aurait empêché de dégager la coque des sables où nous l'avions traînée pour réparer, nous n'avions pas non plus d'eau et très peu de nourriture.

Il fallait donc éviter de croiser un flibustier qui, nous prenant pour un navire marchand, nous aurait attaqués sans que nous puissions riposter. Notre but était d'arriver le plus vite et le plus discrètement possible à l'île de la Tortue afin d'y acheter des canons, de la nourriture et de faire provision d'eau. Il me parut que c'était le moment le plus périlleux car nous étions sans défense. Mon honneur n'aurait pas supporté une nouvelle défaite.

Deux jours plus tard, nous étions en vue de la Tortue et c'est avec un grand soulagement que nous y mouillâmes.

Les marins déchargèrent les caisses contenant les trésors que nous avions partagés selon la coutume et ils jurèrent autour d'un verre de tafia d'embarquer dès que je leur en donnerais l'ordre. Ils n'étaient donc point mécontents de leur capitaine et je savais qu'ils allaient colporter mon aventure dans les tavernes. Bientôt, je deviendrais l'un de ces flibustiers avec qui il fallait compter comme Edward Bonny et quelques autres et ce n'était pas pour me déplaire. Mon orgueil était satisfait, mais surtout j'espérais que ma notoriété donnerait à Lalie l'envie de s'intéresser à nouveau à moi.

Je retrouvai avec plaisir la vie mouvementée du port. Quel bonheur de boire une chope dans une taverne bruyante et enfumée, de manger de bons plats chauds ! De rire en soulevant le jupon des filles ! De dormir dans un lit, de pouvoir se laver, se raser et, au matin, de partir acheter du linge et commander la confection de beaux vêtements à un drapier !

Au royaume de la flibuste, personne ne s'inquiète de savoir qui vous êtes, ni d'où vous venez et encore moins d'où provient la bourse que vous sortez de votre poche pour payer grassement tous les gens qui vous servent.

Passé l'euphorie du retour, je tombai dans une sorte de mélancolie.

Nous avions demandé à ce qu'un navire aille récupérer les naufragés récalcitrants. À présent Lalie était peut-être quelque part à Saint-Domingue, à l'île aux Vaches ou pourquoi pas, à la Tortue. À moins qu'elle n'ait regagné la France avec son marquis ? Je voulais jouer l'indifférent à son égard, mais je n'y parvenais pas.

Don Luis de Vegas s'évertua à me prouver que les filles étaient toutes inconstantes, et que notre seule parade était d'en séduire le plus possible.

Je le crus et comme j'étais plutôt joli garçon et que mon aventure m'auréolait de gloire et de mystère, je fis assez facilement la conquête de plusieurs péronnelles, filles ou épouse de marchands.

Je m'étourdis quelques mois durant de cette vie. J'avais de l'argent, je logeais dans le seul hôtel confortable de la ville, j'étais invité à des fêtes et à des bals organisés par M. d'Orégon le gouverneur de l'île et je n'avais aucune peine à trouver une cavalière pour la danse ou un partenaire pour le jeu.

Je tombai sous le charme de la fille d'un planteur. Elle se nommait Bertille. Elle était blonde comme les blés, avait un teint de porcelaine et des yeux verts. Nous nous rencontrâmes à un bal. Je déclinai mon identité à ses parents en leur demandant l'autorisation d'inviter leur fille à danser un branle. Mon nom à particule les impressionna. Je fis donc à Bertille une cour empressée. Elle était jolie, gentille, pieuse et je me disais, qu'après tout, ce n'était point un parti désagréable. Son père me glissa même, lors d'une discussion, que sa fille aurait une belle dot. J'ajoutai par vantardise que j'avais sollicité auprès de la Compagnie des Indes occidentales le gouvernement d'une île luxuriante et que bientôt, moi aussi, je dirigerais une plantation.

Cette existence facile et agréable me vengeait de la vie de misère que j'avais connue pendant mon enfance. Parfois je me disais :

« Dommage que mes parents ne me voient pas. Mon père, qui nous a lâchement abandonnés, s'apercevrait que je m'en sors très bien sans son aide, et ma mère serait fière de moi. »

Pourtant, je savais pertinemment, au fond de moi, que tout cela ne me convenait pas, et surtout que Bertille n'était pas pour moi : trop douce, trop fade et aussi trop fardée, trop enrubannée. Nous n'avions rien en commun et même pour sa dot il m'était impossible de l'épouser.

La nostalgie que j'avais crue endormie dans les fêtes se réveilla. Tous ces plaisirs me parurent vains et futiles. Je rompis avec Bertille en lui avouant tout simplement que j'étais flibustier. Elle poussa un cri d'horreur et je ne la revis plus.

Peu de temps après, alors que je noyais mon chagrin dans une taverne, un homme borgne, les cheveux longs maintenus par un lien de chanvre, se glissa sur le banc à côté de moi. Il me dévisagea un moment sans parler puis me dit à voix basse :

— C'est toi, le Pirate rouge ?

J'acquiesçai en lui montrant l'étoffe rouge que je portais au cou. C'était Lalie qui en avait eu l'idée et je ne m'en serais séparé pour rien au monde.

— J'ai une information de première importance.

— Je t'écoute.

— Holà, pas si vite… Y en a des tas par ici qui paieraient cher pour ce que je vais t'apprendre.

— Tu seras récompensé à la hauteur de l'information que tu m'apportes.

– Combien tu me donnes ?

– J'ai la réputation de bien payer mes hommes et ceux qui ont réparé l'*Esperanza* avec moi ne l'ont pas regretté.

– Je sais. C'est pour ça que c'est toi que je viens voir en premier.

– Parle.

– Avant, je veux que tu me jures que je ferai partie de l'équipage et pas comme marin, c'est pas assez lucratif. Je veux être ton lieutenant pour avoir deux parts.

– J'ai déjà un lieutenant.

– Est-ce qu'il t'a déjà indiqué un trésor ?

– Non.

– Moi, c'est ce que je ferai si tu m'acceptes pour lieutenant. Alors, tu topes ?

Je réfléchis quelques secondes. J'avais bien envie de connaître son secret et je savais que si je ne me décidais pas rapidement il en ferait profiter un autre flibustier. Ce n'était pas ce qui manquait à la Tortue. Je lui tapai dans la main aussi discrètement que possible. Je ne tenais pas à ce que notre transaction attire le regard.

Il s'approcha encore plus près et me murmura à l'oreille :

– À présent, c'est la fin de la saison de la pêche des huîtres perlières du golfe de Panama. Un vaisseau chargé de cette précieuse cargaison s'en retournera en Espagne sous peu… Si tu te postes sur son passage, il est à toi.

– Comment le sais-tu ?

– Un mien cousin dirige les esclaves indiens qui plongent à la recherche des huîtres. Le galion en partance pour l'Espagne se nomme l'*Armadilla*. Elle est armée de vingt-quatre pièces de canon.

– Mordieu ! Vingt-quatre !

Le juron m'avait échappé et je glissai un œil inquiet alentour, car je craignais d'avoir éveillé l'attention de quelques curieux. Mais des jurons, c'était ce que l'on entendait le plus souvent et personne ne remarqua spécialement mon excitation.

– Diantre, une cargaison pareille, il faut la protéger, mais on m'a dit que tu avais réalisé des prises autrement plus dangereuses et que rien ne te faisait peur.

Je ne pris pas la mine étonnée de celui qui n'est pas au courant de ses propres exploits. J'avais en effet ouï dire que les buveurs des tavernes, certainement encouragés par mon équipage, avaient considérablement embelli mes aventures et qu'ils m'avaient transformé en un héros de la flibuste ayant pillé de nombreux navires.

Je hochai donc la tête d'un air entendu et je repris avec assurance :

– Pour sûr, ce vaisseau sera à nous ! Merci pour ton information. Tiens-toi prêt à embarquer sous peu. Quel est ton nom ?

– On me nomme Lemoine.

Je quittai la taverne et partis à la recherche de Vegas. Je le trouvai à bord de l'*Esperanza*. Il s'était occupé d'acheter des canons pour remplacer ceux que nous avions dû abandonner et nous possédions maintenant vingt-quatre belles pièces de dix-huit[1].

– Un galion chargé de perles va bientôt croiser au large. Il nous le faut, lui annonçai-je.

– Un galion espagnol?

J'avais oublié qu'il était de ce pays. J'aurais dû me montrer plus prudent et je m'en voulus de ma légèreté. À présent il était trop tard. Je lui mis aussitôt le marché en main.

– Écoute, Vegas, il n'y a pas trente-six solutions, il y en a deux : ou tu es avec moi et tu auras ta part, ou tu es contre moi. Si c'est le cas, et afin que tu ne trahisses point notre secret, ce sera les chaînes à fond de cale et si tu cherches à fuir ce sera la mort.

Ma dureté l'étonna. Je le vis dans son regard. Je m'en étonnai moi-même. Mais depuis la trahison de Lalie, toute compassion m'avait quitté et mon cœur était devenu aussi dur que la pierre.

Vegas hésita quelques secondes, puis déclara :

– Je suis avec toi, Josselin!

– Sûr?

– Sûr.

– Parce que je ne supporterai pas d'être trahi. Si c'était le cas, je n'aurais pas de pitié.

– Je suis avec toi, répéta Vegas avec assurance.

1. Jusqu'en 1860 on désignait les canons non par leur calibre en millimètres mais par le poids exprimé en livres de leurs projectiles. Une pièce de dix-huit est un canon qui envoie un projectile pesant dix-huit livres.

Après quoi, nous allâmes dans la grand-chambre du château de poupe pour discuter de notre plan d'attaque. Lorsque nous nous séparâmes, j'ordonnai à Vegas de rassembler l'équipage en gardant notre destination secrète et de s'occuper de l'avitaillement en eau et en nourriture.

J'avais hâte à présent de me confronter à l'*Armadilla*.

Il fallait absolument réussir cette capture, il en allait de mon honneur! Si j'échouais, jamais je n'oserais revenir à la Tortue. Mieux valait la mort. De toute façon, c'était ce qui attendait tout flibustier dans une attaque. S'il était vainqueur, il était riche. S'il était vaincu, il était mort. Il n'y avait pas de quartier pour les perdants!

2

Nous naviguâmes deux semaines sans rencontrer l'*Armadilla*.

Nous croisâmes bien quelques frégates espagnoles, anglaises et françaises, mais je refusai de leur livrer bataille afin de ne pas user nos forces et nos munitions sur des proies sans valeur.

Les hommes commencèrent à s'impatienter et à grogner. Ils n'avaient rien à faire qu'à astiquer le pont, à jouer aux cartes, à se chercher querelle pour des riens et à boire leur ration de tafia quotidienne.

Selon la tradition de la flibuste, j'aurais dû les informer de mes projets. Je ne l'avais point encore fait car je craignais que l'appât d'un si beau butin les excitât trop fortement alors même que ce butin se faisait désirer.

– Mais qu'attendons-nous enfin ! me lança un colosse barbu.

Je me décidai à leur livrer une partie du secret.

– Nous attendons le passage de l'*Armadilla*. Ses cales sont pleines d'une marchandise fort prisée.

– De l'or! s'enthousiasmèrent plusieurs matelots.

– Non point, mais si nous réussissons cette prise, vous serez riches!

Des vivats éclatèrent.

À cet instant précis, l'homme de veille s'époumona du haut du nid de corbeau[1] :

– Une voile en vue par tribord devant!

Par trois fois déjà, l'homme de veille avait annoncé un navire. Trois fois, après un moment d'excitation, j'avais été contraint de ramener le calme parmi les hommes car il ne s'agissait pas de l'*Armadilla*. Était-ce, à présent, celui que nous espérions? Si cela n'était point, je redoutai de ne pouvoir les raisonner. Et une mutinerie à bord c'était le drame! En un rien de temps, la fureur des matelots pouvait contraindre le capitaine à abandonner le commandement de son navire.

Force gars se précipitèrent dans les haubans de misaine pour tenter d'apercevoir l'enseigne du navire.

– Castille! hurla l'homme de veille.

– Castille! reprirent plusieurs voix joyeuses.

Je braquai ma longue-vue en direction du vaisseau et je m'usai les yeux à chercher des indices

---

1. Le nid de corbeau était un simple tonneau ouvert par-dessus que l'on hissait le plus haut possible au mât de misaine. De là, un homme surveillait l'horizon.

m'indiquant s'il s'agissait bien de l'*Armadilla*.
L'équipage, le souffle court, attendait la fin de
mon observation. Je comptai quarante canons.
Ce ne pouvait pas être l'*Armadilla*. Lemoine
m'avait parlé de vingt-quatre canons. Je lui tendis
la lunette. Il examina lui aussi longuement la frégate et me souffla :

– C'est elle, je le jurerais.

– Tu m'avais dit vingt-quatre canons, grognai-
je.

– Si je t'avais dit quarante, tu ne risquais pas le
coup, et ç'aurait été dommage.

Je lui octroyai un regard lourd de reproche. Sa
traîtrise me déplut, mais je me tus, ce n'était pas
le moment de déstabiliser l'équipage et je criai :

– *Armadilla*!

Des cris de joie s'élevèrent et des bonnets volè-
rent. Puis, comme nous étions encore assez loin
du galion espagnol, j'ordonnai que l'on dissimule
les sabords des batteries sous une longue toile
tendue de la proue jusqu'à la poupe. J'ouvris les
coffres contenant les épées, les fusils, les pistolets
et chacun vint se servir après quoi une grande
partie de l'équipage alla se cacher dans le faux-
pont.

C'était une ruse ingénieuse pour nous transformer en vaisseau marchand innocent. Enfin je
commandai :

– Hissez le pavillon castillan!

L'*Armadilla* se laissa prendre à notre feinte et
poursuivit sa route sans se soucier de nous.

Vegas empoigna à son tour la longue-vue, puis m'annonça, anxieux :

— Elle a quarante canons ! C'est beaucoup trop gros pour nous ! On court à notre perte !

— Il est trop tard pour reculer, les hommes ne comprendraient pas. Ils sont prêts pour l'attaque.

— Tu es fou ! On va y laisser notre peau ! Si l'*Armadilla* transporte des perles, de nombreux soldats sont à bord, armés jusqu'aux dents, et ils ne feront qu'une bouchée de nos matelots !

— La différence, vois-tu, c'est que ces soldats défendent un trésor qui ne leur appartient pas et que nos matelots vont chercher à s'emparer du trésor pour eux. Et ça, crois-moi ça décuple le courage et la force !

— Vrai, Josselin, tu n'as pas froid aux yeux, admit-il de l'admiration dans la voix.

— Je n'ai rien à perdre. Au contraire, si cette opération est un succès, elle nous apportera la gloire et la fortune.

L'*Armadilla* était un gros galion. Une seule de ses bordées pouvait nous anéantir. Il fallait donc éviter la confrontation. Le mieux était de se placer sur l'avant car la proue est dépourvue de canons et de le pilonner de nos bouches à feu. L'abordage serait sans doute périlleux. Nous n'étions que cent alors qu'ils devaient être quatre ou cinq fois plus nombreux.

Lorsque nous fûmes à peine à cent toises[1], je dépassai le galion et vins me placer devant sa proue. C'est là que le capitaine espagnol comprit à qui il avait affaire. Trop tard pour lui. Nous arrachâmes la toile qui masquait nos batteries, nos matelots quittèrent leur cache et, en quelques minutes, dix gueules de canon crachèrent des boulets qui brisèrent les mâts ennemis. L'énorme voilure s'effondra sur les soldats, les écrasant sous son poids. Pas un des canons de l'*Armadilla* n'était en position de riposter. Nos gars poussèrent des cris de triomphe et tirèrent sur les Espagnols qui n'avaient même pas eu le temps de prendre leurs armes.

– À l'abordage ! hurlai-je. Pas de quartier ! La richesse est à portée de vos mains !

La détermination, l'allure farouche de mon équipage, m'impressionnèrent et je me surpris à penser que je n'aimerais pas être dans le camp adverse car je les sentais prêts à toutes les cruautés. Je priai un instant pour que le Seigneur m'accordât son aide. Je ne savais pas s'il exaucerait la prière d'un pirate, mais je lui promis de faire célébrer dix messes et d'acheter dix gros cierges s'il me donnait la victoire. Je souris. Ma tante Françoise de Talhouet-Séverac s'était si souvent désolée de mon manque d'assiduité à la messe et m'avait si souvent recommandé de ne point oublier la prière, et voilà que je demandais l'aide de Dieu pour piller les très catholiques Espagnols. Vrai, la vie est bien curieuse.

1. Une toise égale 1,949 mètre.

Une prodigieuse bataille s'engagea.

Nous luttions à un contre dix, mais nous avions pour nous l'effet de surprise et notre rage de vaincre. Et puis nous étions aussi à l'aise sur le pont d'un navire que sur le plancher des vaches, ce qui n'était pas le cas des soldats embarqués sur l'*Armadilla* qui avaient grand-peine à tenir debout à cause du roulis.

Tout à coup, je me trouvai face au capitaine espagnol qui était déjà un vieil homme d'au moins quarante-cinq ans. Je lui piquai mon épée à hauteur de la pomme d'Adam et lui intimai :

— Rendez-vous ou vous êtes mort.

— Je préfère la mort au déshonneur d'avoir perdu mon vaisseau.

— Laisse-lui la vie sauve, me conseilla Vegas. Tu en obtiendras une bonne rançon.

— N'est-ce pas parce qu'il est de ton pays que tu veux que je lui laisse la vie ?

— Peut-être, mais surtout parce que sa mort est inutile. Nous sommes maîtres de son vaisseau et il est à notre merci.

Sa réponse ne me plut qu'à moitié. Cependant j'aurais été incapable d'assassiner un homme qui se rendait.

Nous fîmes une quarantaine de prisonniers que je chargeai Vegas d'enchaîner à fond de cale. L'*Armadilla* perdit plus de deux cents hommes et nous déplorâmes une cinquantaine de morts de notre côté.

Le combat avait été rude mais les survivants, quoique parfois sérieusement blessés, lancèrent force vivats pour célébrer leur victoire, faisant fi des morts qui jonchaient le pont des deux bâtiments.

– J'espère que ton indicateur ne s'est point trompé, grogna Vegas, sinon ce carnage n'aura servi à rien et je ne réponds pas des hommes.

Je l'espérais aussi, car Lemoine était mort (j'avais aperçu sa dépouille) et je ne pourrais pas lui reprocher la fausseté de son information. Tout retomberait sur moi. Autant dire que ma peau ne vaudrait pas cher.

La peur au ventre, dans les vapeurs de poudre et les odeurs âcres de sang et de bois brûlé, je descendis l'échelle pour inspecter les cales de l'*Armadilla*. Elles contenaient des sacs de cacao et de tabac. Ce n'était pas ce pour quoi nous avions risqué nos vies.

Vegas ricana :

– Tu t'es fait avoir comme… comme un débutant. Car après tout, tu n'es qu'un débutant !

Les moqueries de Vegas commençaient sérieusement à m'échauffer les oreilles.

Ce n'était pas possible ! Lemoine avait l'air sûr de lui et il ne se serait pas embarqué avec nous pour quelques sacs de tabac ! Ivre de colère et de déception, je remis vertement Vegas à sa place.

– Tais-toi !

Je le plantai là et je regagnai notre vaisseau puis je descendis dans la cale.

J'attrapai le capitaine de l'*Armadilla* par le bras et le menaçai de mon pistolet :

– Où sont les perles ?

– Quelles perles ? me répondit-il.

Je le giflai avant de poursuivre :

– Celles de Panama que tu transportes vers l'Espagne. Je sais qu'elles sont sur ton vaisseau. Si tu ne me les donnes pas, je pends tes matelots et toi avec !

– Tuez-moi, mais épargnez mon équipage.

– Vous y passerez tous si tu ne me dis pas où sont les perles. De toute façon, je m'en vais inspecter la moindre planche de ton galion. Alors ou tu me livres la cachette tout de suite ou je la trouve seul et je ne te pardonnerai pas de m'avoir fait perdre mon temps !

Le capitaine cracha avec mépris sur le sol.

Je serrai les poings et remontai sur le pont. Mais la colère bouillonnait en moi. Si je ne voulais pas perdre la face devant l'équipage et peut-être même perdre la vie, j'avais intérêt à dénicher ces fameuses perles.

Je décidai d'explorer la grand-chambre du château de poupe de l'*Armadilla*. Trois matelots, Guillemot, Michelet et Jouflu, me suivirent armés de piques et de haches encore ensanglantées.

Dès que j'en ouvris la porte, j'aperçus une dizaine de femmes qui poussèrent des cris suraigus. Elles se tenaient serrées contre un homme en soutane violette.

À la vue de l'archevêque, mes matelots tombèrent à genoux pour solliciter sa bénédiction. Il la leur accorda en échange de la vie sauve pour les dames et pour lui-même, homme de Dieu.

Après avoir été bénis, les marins commencèrent à reluquer les dames d'une étrange manière. L'envie leur prit de les forcer dans un coin pour les posséder. Je n'étais pas un goujat et ce geste me parut immonde. Je les arrêtai net.

— Messieurs, leur dis-je, nous sommes ici pour chercher des coffres de perles !

Ils grognèrent, mais n'osèrent point me désobéir. Ils ouvrirent des portes, détruisirent des meubles, percèrent le matelas et les oreillers de plume sans rien découvrir. Effrayées, les donzelles se groupaient d'un côté ou de l'autre pour ne pas gêner notre exploration.

— Si on trouve rien, grogna Guillemot, on se vengera sur les femmes ! Diable, y a plus d'un mois qu'on n'en a pas touché une, alors mes jolies préparez-vous !

Les pleurs et les cris redoublèrent.

Une damoiselle s'avança vers moi. Elle devait avoir l'âge de Lalie, mais physiquement, elle était tout son contraire, autant la première était brune de peau et de cheveux, autant l'autre avait une chevelure blonde et un teint diaphane.

— Je suis la fille du capitaine Sanchez et si vous me jurez devant monseigneur de ne point abuser de mes amies, je vous indique où sont les perles, me dit-elle dans un français approximatif mais d'une voix qui ne tremblait point.

Sa beauté, son calme et sa belle allure m'impressionnèrent.

— Ah, madame, vous éviteriez ainsi bien des malheurs !

Elle pointa l'index sous le lit.

Deux matelots soulevèrent le matelas et d'un coup de hache fracassèrent le socle de bois sur lequel il était posé. Une jeune fille poussa un cri. Puis, ils tirèrent deux coffres de la cachette. Michelet fractura la serrure du premier d'un coup de pistolet qui fit sursauter les demoiselles qui, n'étant pas encore complètement rassurées sur leur sort, continuaient de se serrer contre l'archevêque. Michelet ôta le couvercle, et les perles apparurent, blanches, nacrées, brillantes dans la lueur de la bougie que j'avais approchée.

— Enfin ! m'exclamai-je, hypnotisé par la beauté des perles.

C'était la première fois que j'en voyais.

Guillemot dont le buste avait disparu dans le trou se redressa et annonça dans un large sourire qui découvrait sa bouche édentée :

— Y en a d'autres dans le fond. Au moins trois…

Vegas pénétra à son tour dans la grand-chambre et je lui lançai avec fierté :

— Nous les avons !

Il se rua sur les caisses et plongea ses mains avec délectation au milieu des perles en vociférant :

— Nous sommes riches ! Nous sommes riches !

Il se tourna ensuite vers les dames et leur dit en espagnol :

— Ne craignez rien, il ne vous sera fait aucun mal.

— Vous… vous êtes espagnol ? s'étonna la fille du capitaine.

— Oui, madame et croyez bien que je déplore d'avoir dû capturer votre navire, mais j'ai obéi à la loi des pirates pour laquelle seule compte la cargaison.

— C'est une fort méchante loi, se plaignit la demoiselle.

— Hélas. Si je peux l'adoucir, je ferai tout mon possible, ajouta Vegas en s'inclinant.

C'était, ma foi, assez singulier de voir Vegas faire le paon devant une jeune beauté.

Pour l'heure, ce trésor dont j'avais rêvé ne me fit pas pousser des cris de joie. Il me parut même assez vain parce que la seule personne avec qui j'aurais aimé le partager n'était pas à mes côtés.

3

Après avoir transbordé les perles et toute la cargaison de l'*Armadilla* sur notre navire, Vegas et moi décidâmes de ne point retourner à la Tortue où nous étions trop connus. Il nous fallait un endroit plus discret pour procéder au déchargement des caisses et au partage. Nous choisîmes l'île de la Jamaïque.

L'*Armadilla* était fort encombrante et si nous la remorquions jusque-là nous ne manquerions pas d'attirer l'attention sur nous.

— Sabordons-la! proposai-je.

— Un si beau galion! s'exclama Vegas, ce serait pécher! Et puis il y a à son bord plus de deux cents prisonniers et une dizaine de femmes. Les noyer ne serait pas chrétien et notre frégate est trop petite pour les recueillir.

Il n'avait pas tort.

Je réfléchis un instant et une idée me vint. Vegas était espagnol et il lui avait coûté de mener l'attaque contre un bâtiment de son pays, mais il avait cependant obéi à mes ordres et s'était parfaitement acquitté de sa mission. Aussi, je lui proposai :

– L'*Armadilla* est à toi si tu la veux, avec les prisonniers.

Son regard s'illumina.

– Vrai ?

– Tu as été un excellent lieutenant, et il me semble que ce navire espagnol te tient particulièrement à cœur.

– En effet.

– Je mets pourtant deux conditions à ma proposition. La première c'est que tu te retires du partage des perles.

Sa mâchoire se contracta mais il ne pipa mot et je poursuivis :

– Un galion de cette taille vaut largement une caisse de perles. Et la seconde, c'est que tu prennes immédiatement les commandes de l'*Armadilla* et que tu te diriges vers le port de ton choix, le plus loin possible de l'île de la Jamaïque. Tu es un bon navigateur et avec le reste de voilure épargné par nos boulets, tu devrais y parvenir.

Il n'hésita pas longtemps.

– Marché conclu !

J'ajoutai, un sourire ironique aux lèvres :

– De plus, la fille du capitaine n'est pas insensible à ton charme, je gage que, auréolé de la gloire d'être le sauveur du vaisseau de son père, sa main te sera accordée sans difficulté.

J'avais vu juste. Vegas se troubla.

– C'est que… c'est une jolie demoiselle et qui a bien du courage.

– Je te souhaite tout le bonheur du monde, Vegas. Nos chemins se séparent ici, mais je te regretterai.

Nous nous donnâmes l'accolade, puis Vegas regagna l'*Armadilla*. Lorsque le vaisseau s'éloigna du nôtre, je fis tirer une salve de canon pour le saluer.

Cinq jours plus tard, le vent nous étant favorable, nous jetâmes l'ancre à quelques encablures de la Jamaïque afin d'éviter les nombreux écueils qui entourent l'île et lui font un bouclier protecteur contre les envahisseurs.

De nuit, dans une crique isolée, l'équipage déchargea les caisses de perles aussi discrètement que possible. Après quoi, nous procédâmes au partage.

Je le fis le plus équitablement que je pus. Chacun prit son butin. Puis tous s'engouffrèrent dans les tavernes. Je fus obligé de les suivre, car il était de coutume que le capitaine fasse la fête avec son équipage.

Je n'avais pourtant pas le cœur à rire. Mais le tafia eut raison de ma tristesse et je réussis à me mettre au diapason de mes hommes qui n'auraient point compris que leur capitaine fasse grise mine un jour pareil.

J'avais recommandé à mes matelots de garder secrets nos exploits tant que nous n'avions pas vendu la totalité des perles pour ne pas attirer la convoitise des vauriens, mais outre que certains payèrent directement le tavernier avec des perles, d'autres rendus bavards par l'ivresse contèrent l'attaque de l'*Armadilla* par le menu.

Bientôt toute la taverne sut que nous étions riches de perles. Les filles demandèrent à en voir. Elles poussèrent des cris de joie et de convoitise et de nombreux matelots échangèrent leurs belles perles contre une nuit d'amour. D'autres en perdirent au jeu et probablement certains se les firent voler.

Alors que je vidais mon verre pour la dixième fois, un homme s'approcha de moi en boitant. Je le reconnus en une fraction de seconde : c'était Leroux. Aussitôt je me levai, les poings en avant, prêt à lui faire payer les jours de solitude et d'angoisse que j'avais vécus avec Lalie et Jules sur notre île déserte.

— Je suis content de te voir, Josselin, bredouilla-t-il, mal à l'aise.

Je l'examinai de plus près. Il avait piètre allure.

— Moi, pas vraiment, grognai-je.

— Je te comprends. J'ai eu tort, je le reconnais… L'appât du gain m'a rendu fou, mais je l'ai chèrement payé.

Il souleva l'étoffe de son pantalon et je découvris un pilon de bois.

— On a attaqué un galion espagnol. Il nous a coulés. Il n'y a eu que quatre survivants. Et j'y ai perdu ma jambe. C'était un signe de Dieu pour me punir de t'avoir trahi. Je me suis juré que si je te retrouvais, je solliciterais ton pardon.

Malgré le brouhaha, les rires, les cris des buveurs, il me sembla que nous étions seuls face à face dans ce bouge. Je l'écoutai parler en silence. J'oubliai les souffrances vécues sur l'île pour ne me souvenir que des bons moments que nous avions passés. Et puis, j'avais le beau rôle. Il s'humiliait devant moi et c'était à moi de le relever ou de l'écraser définitivement. Les événements m'avaient endurci, mais ils avaient fait de moi un homme seul. Lalie et Jules m'avaient abandonné et cette amitié qu'il m'offrait à nouveau me parut providentielle.

— Aussi, poursuivit-il, je te supplie de me pardonner afin que je retrouve un peu de paix.

Je fis semblant de réfléchir, histoire de le laisser mariner un peu, mais ma décision était prise. Je levai la main.

Il eut un mouvement de recul comme si j'allais le frapper.

Je souris alors et lui dis :

— Tope là, Leroux. Je te pardonne.

Avant qu'il ne cherche à me remercier et que l'émotion nous gagne, je criai :

— À boire pour mon ami !

Et nous finîmes la soirée ensemble. Je lui contai notre aventure sur l'île et mon infortune à laquelle il compatit avec sincérité. Je lui promis de l'associer à notre prochaine expédition. Après quoi, épuisé par l'alcool, la fatigue et l'émotion, je me retirai seul au petit matin dans la chambre que j'avais louée à l'aubergiste, refusant la compagnie de plusieurs filles qui se disputaient le privilège de dormir avec moi.

Je pris beaucoup de plaisir à découvrir Port-Royal, la capitale de l'île, que l'on appelait « le petit Londres sous les palmiers ». En effet, cette ville avait été construite avec des matériaux venant de Londres, les rues portaient des noms de rues ou de quartiers londoniens. Pirates, bourgeois, marchands, taverniers et banquiers y vivaient en bonne harmonie. Il faut dire que la ville était très prospère.

Trois jours plus tard, le vice-gouverneur de l'île qui n'était autre que sir Henry Morgan, ancien flibustier anobli par le roi d'Angleterre Charles II, me reçut dans la magnifique propriété qu'il avait fait construire et qu'il avait baptisée du nom du village gallois où il était né, Llan Rumney.

J'avais vendu une partie de ma part afin de vivre décemment et je m'étais fait tailler un bel habit.

– Monsieur, me dit-il en m'accueillant dans un grand salon richement meublé à l'anglaise, votre exploit est sur toutes les lèvres.

Je souris à ce préambule sympathique.

– Cependant, je ne vous félicite pas, poursuivit-il. L'heure n'est plus aux félicitations.

Je me rembrunis. Que voulait-il dire?

– En effet, Sa Majesté Charles II a décidé de lutter contre la piraterie qui empoisonne le commerce maritime et m'a chargé d'exterminer les écumeurs des mers.

L'inquiétude s'empara de moi. Étais-je tombé dans un guet-apens? Je maudis l'orgueil et la naïveté qui m'avaient fait accepter l'invitation d'un gouverneur anglais. Si je m'étais renseigné sur ses opinions, je ne serais pas venu me précipiter ainsi dans la gueule du loup! Je portai rapidement la main à la ceinture où était mon pistolet, prêt à vendre chèrement ma peau.

– Oh, là, monsieur, me tança Morgan, calmez-vous, je n'ai pas l'intention de vous mettre aux arrêts! Ce qui est fait est fait!

Mes nerfs, bandés à l'extrême dans l'attente de la confrontation, se relâchèrent et je lui octroyai un souris forcé.

– Cependant, reprit Morgan en lissant sa moustache entre ses doigts, il faut bien vous punir pour avoir enfreint la loi. Aussi je vous condamne à m'offrir une caisse de perles. Après quoi nous ne parlerons plus de cette malheureuse affaire.

Le fourbe! Je gage qu'il devait ainsi prélever sa dîme sur chaque navire de flibustiers venant s'ancrer à proximité de son île.

Je regrettai amèrement mon choix. J'aurais dû élire domicile dans un autre port, mais comment aurais-je pu savoir? Les îles des Caraïbes changeaient si rapidement de propriétaire au gré des guerres qu'il était difficile de connaître la nationalité du gouverneur au moment où on y posait le pied.

Cependant, je n'étais pas de taille à lutter contre sir Morgan et finir mes jours en prison pour quelques perles ne me tentait pas.

– Je vous attends à sept heures de relevée[1] précises, conclut-il.

Je sortis furieux de cet entretien.

En maugréant, je préparai un coffret de perles et je me présentai chez lui à sept heures, le coffret dissimulé sous une toile d'indienne. J'avoue que je lui avais réservé les moins grosses et les moins belles. J'espérais qu'il ne pousserait pas le vice jusqu'à venir les comparer avec les miennes.

– C'est bien, monsieur, vous êtes de parole. Je n'en attendais pas moins de vous, me dit-il en guise d'accueil.

Il ouvrit le coffret, plongea la main dans les boules de nacre et conclut :

– Elles sont belles. Je les ferai monter en collier pour mon épouse. Elle adore les perles. J'ai

1. Sept heures du soir.

oublié de vous préciser qu'il n'est évidemment plus question que vous repreniez la mer pour vous livrer à de nouveaux pillages.

– Co... comment? m'étranglai-je.

– Je dois faire régner l'ordre sur cette île, désormais vouée à l'élevage, à la culture de la canne à sucre et à la fabrication de peignes en écaille. À présent, votre vaisseau appartient au gouvernement anglais.

– Mais je suis français et...

– Je vous laisse le choix : soit vous quittez définitivement notre île, soit vous devenez un honnête planteur. En dernier recours, si aucune de mes propositions ne vous convient, je vous fais pendre.

À ce moment-là, une jeune métisse somptueusement vêtue entra.

Morgan cacha habilement le coffret sous la toile.

– La collation est déjà servie, mon ami, se plaignit-elle.

– Une affaire à traiter et j'arrive.

– Ah, un nouveau venu sur notre île! C'est un véritable plaisir de vous accueillir.

Elle me tendit une main où brillaient plusieurs bagues et je m'inclinai pour la saluer. L'idée me vint alors de profiter de la situation pour agacer à mon tour le sieur Morgan et je répliquai d'une voix que je m'efforçai de rendre enjôleuse :

– Le plaisir est pour moi, madame, de trouver sur cette île une personne aussi bienveillante que vous.

– Pourquoi ne pas vous joindre à nous ? ajouta-t-elle.

– Mais avec joie, madame !

En prononçant cette phrase, je jetai un regard en coin à sir Morgan dont je vis frémir la moustache. Cette invitation l'agaçait, ce qui augmentait la joie que j'avais de l'accepter.

Je passai une très curieuse soirée.

Certaines personnes qui avaient eu vent de mon exploit m'en demandèrent le récit quand d'autres évitèrent de parler et même de frôler le pirate que j'étais. Sir Morgan s'appliquait à ménager les deux groupes afin de ne perdre ni son prestige de vice-gouverneur, ni celui d'ancien flibustier et ce n'était pas chose aisée, à mon avis.

Lorsque son épouse s'aperçut que je n'étais qu'un vulgaire flibustier, elle m'en fit le reproche :

– Monsieur, vous m'avez mise dans une pénible situation.

– Croyez bien, madame, que je le regrette. Cependant le bonheur que me procure votre présence me paie de beaucoup de tourments.

– Oh, monsieur, comment osez-vous… Je suis la femme de sir Morgan.

– Je suis français, madame, j'ai nom Josselin de Préault-Aubeterre. Je n'ai eu besoin d'aucun roi pour m'anoblir parce que je le suis de naissance et, dans notre pays, dire à une femme qu'elle est belle est un devoir de gentilhomme.

– Ainsi, vous êtes français…

– Pour vous servir, madame.

155

— Hélas, je crains d'avoir commis une faute en vous invitant et je vous serais reconnaissante de quitter cette pièce sans esclandre afin de ne point me compromettre.

— Si c'est vous qui l'exigez, j'obéis.

Troublée par la cour que je lui faisais, elle rougit légèrement. Je m'inclinai devant elle et, sans saluer sir Morgan qui devisait avec un groupe de ses amis, je sortis de la maison.

De nouvelles aventures

1

Bien que Port-Royal fût une ville fort agréable, je décidai de la quitter rapidement. J'avais indisposé sir Morgan en contant fleurette à son épouse, et je n'avais pas la moindre envie de finir au bout d'une corde.

Leroux et moi choisîmes de retourner à l'île de la Tortue. Nous y trouverions sans peine un autre vaisseau et un équipage afin de repartir sur la mer… en évitant l'île de la Jamaïque et son gouverneur devenu l'ennemi des flibustiers.

Nous embarquâmes à Port-Royal sur une frégate légère qui faisait, plusieurs fois par mois, la navette entre la Jamaïque et la Tortue pour transporter des marchandises et des passagers.

Cependant, nous nous étions grimés et déguisés en marchands. Notre aventure était, à présent, connue de toute la Jamaïque et je ne voulais pas tenter les vauriens qui auraient pu nous suivre et voler nos perles sur le bateau ou à notre arrivée à la Tortue. Je ne voulais pas non plus que Morgan prenne l'idée de nous arrêter à l'embarquement pour, sous prétexte de venger son honneur, subtiliser notre coffre de perles.

Je dois avouer que Leroux et moi prîmes un certain plaisir à jouer la comédie.

Nous débarquâmes deux jours plus tard à la Tortue, non sans frayeurs, car cette île est, elle aussi, protégée par une barrière d'écueils que seuls quelques excellents pilotes savent franchir.

Je chargeai aussitôt Leroux d'acheter un vaisseau adapté à la flibuste et je lui remis la quasi-totalité de mes perles. Je gardai une poignée des plus belles que je portai à un orfèvre afin qu'il en fasse un collier… Dès que j'avais su ce que contenait l'*Armadilla*, je m'étais dit que je ferais confectionner un collier pour Lalie. Si un jour elle revenait vers moi, et puisque les fastes de la cour la faisaient rêver, j'aurais un présent de reine à lui offrir. C'était, je l'avoue, un projet assez ridicule puisque je n'avais pas la moindre idée de l'endroit où elle se trouvait, mais le cœur souvent n'obéit pas à la raison… et le mien était complètement désorienté depuis que j'avais rencontré et perdu Lalie.

Et puis, bien sûr, j'entrai dans une taverne. C'était l'endroit où l'on pouvait apprendre le plus de choses en un minimum de temps. Je comptais

160

sur la Providence pour me donner l'information me permettant de me lancer à la poursuite d'un galion plein d'or, de pierreries, de soieries ou de porcelaines en provenance de la Chine. J'y passai plusieurs soirées infructueuses à offrir à boire à de nombreux marins sans obtenir la moindre nouvelle intéressante. Un gros homme vint me demander à voix basse si j'étais marchand d'esclaves.

– Non, monsieur, je suis dans la canne à sucre, lui répondis-je.

– Ah, dommage, j'ai besoin d'un bon vaisseau et d'un bon équipage pour aller chercher deux ou trois cents nègres en Afrique. À l'arrivée, on partage la marchandise, c'est équitable n'est-ce pas ?

Je haussai les épaules. Ce genre de transaction me répugnait.

– Pour l'heure, je n'ai point de bâtiment et puis je ne ferais pas un bon négrier.

Il bougonna je ne sais trop quoi et s'éloigna. Tant mieux.

Une nuit, alors que l'aubergiste mettait dehors les derniers ivrognes avant de fermer, je surpris la conversation de deux hommes qui s'étaient installés dans le recoin le plus sombre de la salle.

– Si on veut s'enrichir, c'est à Porto-Bello, en Panama qu'il faut aller. C'est là qu'on charge les épices, l'or et l'argent destinés à Séville. Mais pour ça, il faut au moins trois navires, un millier d'hommes et un capitaine courageux et, pour l'heure, nous n'avons qu'une frégate de vingt canons de dix-huit!

Moi qui n'avais pas même un vaisseau et aucun équipage, il me sembla que c'était la chance que j'attendais. Aussi, restant dans l'ombre, je murmurai :

– Je veux bien être des vôtres.

Surpris par mon intervention, le plus grand me rétorqua :

– Pour être des nôtres, il faut avoir fait ses preuves.

– Je les ai faites.

– Qui tu es ?

– Celui qui a capturé l'*Armadilla*.

L'un des deux émit un sifflement admiratif.

– Alors rendez-vous demain soir sur la grève du Ponant. On verra si on peut te faire confiance.

– J'y serai.

Les deux compères se levèrent et sortirent. J'avais pour projet de les suivre afin d'en apprendre un peu plus sur eux.

Je les entendis jurer et s'en prendre à quelqu'un à l'extérieur de la taverne. Si c'était une querelle d'ivrognes, je préférais l'éviter. Je patientai quelques secondes avant de sortir à mon tour et là, je butai contre un corps allongé devant la porte.

Le corps gémit, se releva un peu et marmonna :

– Une pièce, mon seigneu', j'ai faim.

Je m'arrêtai. Cette voix… je connaissais cette voix. Serait-il possible que… Je me penchai vers l'homme qui répéta :

– J'ai faim. Une pièce, s'il vous plaît.

Cette fois je m'agenouillai pour être sûr de ne point me tromper et je balbutiai :

– Jules ! C'est toi ?

– Josselin ? Non ? C'est-y Dieu possible ?

– Ah, mon bon Jules, dans quel état es-tu ? Et que fais-tu là, à mendier ?

– Les deux canailles qui viennent de sorti' m'ont roué de coups de pied. Y m'ont cassé le nez.

Je n'en croyais pas mes yeux. Retrouver Jules dans un si piteux état me donnait à penser que quelque chose de grave lui était arrivé et, par ricochet, que quelque chose de grave était arrivé à Lalie puisqu'ils étaient ensemble. Mon cœur battait la chamade en attendant les explications de Jules et je prévoyais le pire.

Je l'aidai à se relever et, le soutenant, je le guidai jusqu'à ma chambre. Je descendis dans la cuisine où l'aubergiste terminait le rangement de ses ustensiles et le suppliai de me vendre quelques victuailles pour sustenter mon ami. Il grogna qu'il était trop tard, qu'il avait sommeil et qu'il n'avait plus rien dans le garde-manger. Mais lorsque je lui glissai une perle dans la main, il ouvrit des placards et posa sur un plateau du pain, du jambon et une cruche de vin de France.

Je regagnai ma chambre, je tamponnai le visage tuméfié de Jules d'eau fraîche. Il n'émit même pas un gémissement. Puis il se jeta sur la nourriture et je le laissai manger tout en piaffant d'impatience.

Enfin, n'y tenant plus, je lui demandai :

— Et Lalie ?

— Ah, c'est une longue histoi'e, me répondit-il la bouche pleine.

— Raconte.

Il hésita un moment à enfourner un morceau de jambon. Il soupira, le tritura entre ses doigts puis continua :

— Ap'ès ton départ de l'île, nous avons pou'suivi notre existence monotone... Non seulement nous n'avions rien à fai'e, mais nous n'avions même plus la réparation du navire pour nous distraire... Il y eut des que'elles ent'e les officiers. Les ne'fs de tous étaient à vif. D'ailleurs, nous passions not'e temps face à la mer pou' guetter l'arrivée du vaisseau qui viend'ait nous délivrer. Ce'tains prétendi'ent que tu n'allais pas nous envoyer de secours, préférant nous laisser mourir sur l'île.

— J'avais donné ma parole, m'insurgeai-je.

— C'est ce que Lalie leur a dit. Elle n'a pas douté une seconde de toi.

Cette phrase me fit du bien et je l'encourageai :

— Le vaisseau est donc venu et que s'est-il passé ensuite ?

– Il nous a déba'qués à Cap-Français sur l'île de Saint-Domingue et là, tout s'est gâté. Le ma'quis a pris une chambre avec Lalie et il m'a chassé. Lalie a p'otesté, mais il a dit que ce n'était pas une fille de rien et un esclave qui fe'aient la loi chez lui.

– Quoi! Il a dit « une fille de rien »?

– Oui.

– Et Lalie s'est laissé insulter sans réagir?

– Elle a rougi.

– Ce n'est pas possible. Il lui a changé le caractère. Lorsque je l'ai connue, elle aurait poignardé celui qui lui aurait manqué de respect! Et après qu'est-elle devenue?

– Ap'ès, j'en sais rien. Je suis resté un peu à Cap-Français et puis je me suis emba'qué comme matelot sur un vaisseau, mais le capitaine était un incapable et il a brisé son bâtiment sur les écueils en face de l'île de la To'tue. J'ai réussi à nager jusqu'à la plage et voilà.

– Est-ce que tu crois que Lalie a regagné la France avec son marquis?

– Elle n'avait pas v'aiment d'aut'e choix. Elle n'avait que Bois-Joli et la perspective de devenir ma'quise en l'épousant.

– Mais il ne l'aime pas! Sinon il ne l'aurait pas traitée de « fille de rien ».

– Oh, l'amou'… je sais pas ce que c'est.

Et moi, est-ce que j'y connaissais quelque chose? J'aimais Lalie et elle m'avait trahi. Je me

165

demandais si cette blessure consentirait à se refermer. Pour l'instant, elle me faisait souffrir comme au premier jour.

Estimant, sans doute, qu'il m'avait tout dit, Jules enfourna ce qui restait de jambon et de pain, puis il vida la cruche en soupirant d'aise :

– C'que j'avais faim !

Sa voix me ramena à la réalité.

– Prends mon lit pour cette nuit, Jules, lui proposai-je, demain nous aviserons.

– Oh, non, Josselin, j'ai l'habitude de do'mir sur le sol et j'y serai t'ès bien.

Moi, je ne dormis pas.

La vision de Lalie au bras de son marquis m'obsédait.

Je regrettais de ne pas l'avoir occis, de ne pas lui avoir arraché Lalie de force. Je me reprochais ma faiblesse. Peut-être, après tout, était-ce ce qui avait déplu à Lalie ? Peut-être avait-elle espéré que je me battrais pour la reconquérir ?

À présent, il était trop tard. Ils avaient dû tous les deux regagner la France, s'y marier et Lalie menait la vie dorée d'une marquise.

2

Le lendemain, Leroux m'annonça qu'il avait ouï dire qu'un vaisseau était à vendre à Cap-Français. Il me proposa de l'accompagner. J'hésitai :

— Je te fais entièrement confiance, Leroux. Celui que tu achèteras me conviendra.

— C'est ton argent que tu investis dans ce bâtiment et je préférerais que tu sois là.

— Je n'ai pas la tête à choisir un bateau et puis je ne suis pas sûr de vouloir reprendre la flibuste.

— Quoi ? s'étrangla-t-il, tu laisserais tomber tes rêves de richesse pour... pour une fille !

— Sans elle, la richesse ne m'intéresse pas.

Il me posa une main compatissante sur l'épaule et reprit :

– Viens avec moi, ça t'évitera de ruminer ton malheur! Et puis nous ne serons pas trop de deux pour recruter notre équipage. À Cap-Français nous aurons plus de candidats qu'à la Tortue.

Je finis par céder.

Jules nous accompagna et tous trois nous embarquâmes sur un vieux rafiot qui nous conduisit à Cap-Français.

Lorsque je mis le pied sur l'un des pontons de bois du port, la nostalgie m'envahit. C'est là que nous avions débarqué quelques années plus tôt avec mes parents, ma sœur et ses deux amis protestants Marguerite et Samuel[1]. C'est là aussi que j'avais rencontré Lalie et son père. C'est en partant d'une crique un peu à l'écart qu'avec les boucaniers nous avions fait notre première prise… Mais tout cela c'était le passé et si je voulais aller de l'avant, je ne devais plus y penser.

Leroux interrogea trois matelots qui ravaudaient des voiles assis à même le sol. Ils nous indiquèrent, à l'extrémité du port, le vaisseau qui était à vendre et, enjambant des poutres, des cordages, des mâts cassés, nous nous dirigeâmes vers le bâtiment.

Il s'agissait d'une frégate qui semblait avoir déjà beaucoup navigué.

– Il faudra la remettre en état, me dit Leroux, mais la mâture paraît solide, c'est déjà ça.

Je ne l'écoutais pas. Depuis que j'avais débarqué à Saint-Domingue, une idée folle me faisait battre

1. Lire *Sorcière blanche*.

le cœur. Et si Lalie n'avait pas encore quitté l'île ? J'avais peut-être une chance, une infime chance de lui parler, de la convaincre de mon amour pour elle et de la supplier de ne pas partir.

Je tâtai le collier de perles, protégé par un mouchoir, que j'avais glissé dans le fond de ma poche. En fait, depuis que j'étais allé le chercher chez l'orfèvre, il ne me quittait plus. C'était le bijou de Lalie. C'était idiot, je l'avoue, puisqu'elle ne l'avait jamais porté, mais je caressais avec respect du bout du doigt les perles de nacre comme si j'avais caressé le cou de ma bien-aimée.

– Montons à bord pour l'examiner…

Je n'entendis pas la fin de la phrase de Leroux car je courais déjà à la recherche de Lalie.

– Hé ! Qu'est-ce qui te prend ! cria-t-il.

Je ne m'arrêtai pas. Tant pis pour le bateau. Tant pis pour la flibuste. Tant pis pour Leroux.

C'est rouge et essoufflé que j'arrivai à l'autre extrémité du port. Mon enquête allait commencer là. Tout d'abord, recueillir des informations sur les naufragés de l'*Esperanza*. Avaient-ils tous réembarqué pour le vieux continent ? J'interrogeai au hasard les marins que je rencontrai. Méfiants, ils me demandèrent :

– Et qu'est-ce que vous leur voulez à ces gens ?

– Oh, rien d'important, mais un de mes amis, le marquis de Bois-Joli, devait rentrer au pays avec… avec son épouse et j'aimerais savoir s'il est déjà parti ou s'il est encore à Saint-Domingue.

Enfin, un matelot consentit à m'aider.

– Le capitaine Bonnaventure pourra peut-être vous éclairer ! Il est au courant de tout !

– Remarquez bien qu'il est pas plus capitaine que vous et moi ! se moqua son compère. C'est un vieux marin qui a bourlingué sur toutes les mers. Du coup on l'appelle capitaine. Ça le flatte et ça ne cause de tort à personne, pas vrai ?

– Et où je le trouve ce capitaine ?

– Ah, ça… Sur le port ou dans les tavernes mais à ce moment précis on peut pas vous dire où il est. Faut chercher. Vous le reconnaîtrez facilement, son perroquet est toujours perché sur son épaule. « Baron » qu'il l'appelle son oiseau.

Je parcourus les quais, les rues et j'entrai dans toutes les tavernes, désertes à cette heure, sans apercevoir Bonnaventure et son perroquet.

C'était ma seule piste et la déception me courba les épaules. Qui d'autre pourrait me renseigner ?

Tout à coup, je pensai à Sango, l'esclave qui travaillait avec sa mère Doudou Réa sur la plantation de Théroulde. Lui savait peut-être quelque chose ? De toute façon, je ne risquais rien à l'interroger, mieux, cela me ferait plaisir de le revoir lui et sa mère. Par contre, je devrais éviter le sieur Théroulde qui n'avait pas dû digérer le départ de mon père ni le mien. Si par malheur, je tombais sur lui, il était capable de me faire jeter en prison pour dettes !

Je n'hésitai pourtant pas longtemps. Je devais tout tenter pour obtenir des nouvelles de Bois-Joli et de Lalie. Il suffirait d'être plus rusé que

Théroulde ! D'ailleurs l'idée de pénétrer chez lui à son insu n'était point pour me déplaire.

Je louai un cheval et je caracolai jusqu'à la plantation.

Comme il était environ trois heures de relevée et que tout le monde était au travail, je m'approchai du carbet sans rencontrer âme qui vive. Il était toujours aussi misérable. Les citronniers, les pelouses et les fleurs promis à ma mère n'avaient pas été plantés. Je contournai le bâtiment de bois et, après avoir traversé le petit jardin amoureusement entretenu par Doudou Réa, j'entrai dans la case servant de cuisine. Elle était là, en train de pétrir une quelconque pâte. Lorsque je m'encadrai dans l'ouverture, elle leva la tête, fronça les sourcils, hésita, puis s'étonna :

– Monsieur Josselin ?

– Oui. C'est moi.

– Seigneu' ! Qué que vous faites ici ? Y a plus pe'sonne ! Ma'ame vot' mère et ma'moiselle Agathe sont pa'ties depuis longtemps !

– Je sais.

– Ent'ez ! Restez pas dehors ! Si le maît' vous voit, vous êtes mort ! Y vous aime pas ! Il a dit les pi' méchancetés su' vous et vot' famille !

Dès que je fus dans la case, elle me proposa :

– Asseyez-vous, je vous sers un ve' de jus de goyave.

Je la laissai me dorloter. C'était bien agréable.

Tandis qu'elle me préparait le breuvage, elle me dit :

– On s'est fait du souci pou' vous! On savait pas ce que vous étiez devenu!

Je bus lentement pour me laisser le temps de trouver une explication. Cela me gênait de lui avouer que j'étais flibustier après avoir été boucanier car je ne connaissais pas ses sentiments à l'égard de ces activités.

– Je... je me suis embarqué sur un vaisseau et puis... je suis revenu... Comment va Sango? demandai-je pour détourner la conversation.

– Chut! Malheu'eux! souffla-t-elle en se signant. Y faut plus p'ononcer son nom ici.

– A-t-il fait quelque chose de mal?

– Oui et non, soupira-t-elle en me tournant des yeux effrayés. Il a trahi le maître.

– De Théroulde n'a que ce qu'il mérite!

– Sans doute, mais c'est t'ès mauvais pour nous. Avant, on t'availlait dur, mais on avait à manger et on savait où do'mir. À présent, le maît'e se méfie de tout, il nous bat sans raison, il risque de nous revendre et pa'fois il nous menace de mo't parce qu'il a peu' de la révolte.

– La révolte?

– Oui. Des marrons qui veulent qu'on se révolte pour obteni' not' liberté! C'est Samuel qui a mis ça dans la tête des nôtres.

– Samuel Guiraud qui était avec sa sœur Marguerite sur le bateau qui nous a amenés à Saint-Domingue?

– Oui. C'est un b'ave gars, mais il a des idées... des idées folles dans la tête. Et maintenant Sango est avec lui, d'autres aussi, et moi je t'emble. Qu'est-ce que ça va donner tout ça? Rien de bon, à mon avis.

– Il faut que je les voie!

– Ah, ça... C'est que j'igno'e où ils sont. Ils se cachent dans la fo'êt et...

– Voyons, Doudou Réa, ne mens pas. Je suis certain que tu leur apportes des vivres et les petits plats que tu cuisines.

Elle hésita, martyrisant la pâte de la main.

– Oui. J'agite un foulard d'indienne rouge devant le plus g'os des banians[1]. Si un chant d'oiseau retentit, c'est qu'il n'y a 'ien à c'aindre et Sango vient à ma rencontre.

– Merci, Doudou Réa.

Et je me sauvai aussi discrètement que j'étais venu.

Je repris ma monture et je m'éloignai, faisant un long détour pour éviter les champs de canne où je risquais de rencontrer Théroulde. Lorsque la forêt se fit plus dense, j'attachai mon cheval à un arbre et je poursuivis à pied.

Arrivé vers ce qui me parut être le plus gros des banians, je détachai le foulard rouge qui me ceignait toujours le cou et je l'agitai. Puis j'attendis, tous mes sens en éveil. Il me semblait que des milliers d'yeux me guettaient et, à chaque bruissement de feuille, à chaque craquement de branche, à chaque froissement d'ailes, à chaque cri d'animaux, je sursautais. Sango pouvait surgir à tout

1. Arbres des îles.

173

moment, mais aussi n'importe quel homme de main payé par des planteurs pour faire la chasse aux marrons et là, je ne donnais pas cher de ma vie ! Je regrettai que Jules ne fût pas avec moi.

J'attendais depuis un long moment lorsqu'un chant d'oiseau se fit entendre. Un chant bizarre. J'agitai à nouveau mon morceau d'étoffe. Et soudain, Sango fut devant moi, comme surgi de nulle part.

– Josselin ? chuchota-t-il, l'œil aux aguets. C'est ma mè'e qui t'envoie ?

– Non, mais elle a consenti à m'indiquer votre signal.

– Viens, me dit-il en me prenant par le bras, ne 'estons pas là.

Nous nous enfonçâmes au cœur d'une végétation dense et après une longue marche, nous débouchâmes dans une minuscule clairière où une cabane de branchages avait été construite. Marguerite en sortit et resta saisie quelques secondes sur le seuil puis elle courut vers moi et me demanda :

– As-tu des nouvelles d'Agathe ?

– Non, aucune.

– Oh, dommage, j'espérais… Elle me manque tant !

Samuel sortit à son tour. Il me tendit la main et me dit :

– Bienvenue. Viens-tu te joindre à nous ?

Je ne m'attendais pas à cette demande et c'est assez gêné que je bredouillai :

– Heu… c'est-à-dire que…

Inquiet, Samuel fronça les sourcils et reprit en posant la main sur un pistolet fixé à sa ceinture :

– Je t'avertis que pour la cause des esclaves noirs, je suis prêt à tout, même à tuer un ami qui nous aurait trahis.

– Rassure-toi, je ne viens pas en ennemi… En fait, je cherche à obtenir des nouvelles de l'équipage de l'*Esperanza* et je pensais que Sango qui fréquente les tavernes du port pouvait m'en donner.

Sango s'approcha et enchaîna :

– Le galion qui a été détou'né de sa 'oute et échoué pa' trois flibustiers ?

– Oui. Vous en avez entendu parler ?

– Diantre, dans les tave'nes du port, on s'est beaucoup moqué des officiers p'isonniers sur une île dése'te et on a beaucoup vanté les mé'ites du pirate qui avait réussi l'exploit de s'évader de cette île. Il s'appelle le Pirate rouge.

– C'était moi.

– Non ?

– Si. Le Pirate rouge, c'est moi.

Sango émit un petit sifflement admiratif, mais je vis bien que Samuel et Marguerite ne partageaient pas ses sentiments.

– Sais-tu si les officiers ont quitté Saint-Domingue ?

– Je l'igno'. Le seul à pouvoir te renseigner, c'est le capitaine…

– Bonnaventure ! terminai-je. Mais pour l'heure, je ne l'ai point trouvé.

– No'mal, le jour, il dort. C'est la nuit qu'il so't et qu'il conte ses aventu'es dans les tavernes du po't en échange d'une timbale de tafia.

Sango ne m'était d'aucune aide, mais j'avais eu plaisir à le revoir et à saluer Samuel et Marguerite. Afin d'atténuer la déception que Samuel avait dû éprouver en apprenant que je ne venais pas grossir leurs rangs, je leur dis :

– Je parlerai de vous à Jules, un esclave que Lalie a fait libérer. Je parie qu'il sera heureux de se joindre à vous.

– Et qui est cette... Lalie ? m'interrogea Marguerite.

Je n'hésitai point et je répondis :

– Ma promise. Un triste événement nous a séparés. C'est elle que je recherche.

– Je croyais que tu cherchais les officiers de l'*Esperanza* ?

– Si je retrouve les officiers, je retrouve Lalie.

– Alors, bonne chance, Josselin ! me lança Marguerite.

3

De retour à Cap-Français, j'hésitai.

Devais-je chercher Leroux pour m'excuser de mon départ précipité et savoir s'il avait acheté la frégate ou devais-je chercher Bonnaventure ? Il me parut que Leroux pouvait attendre alors qu'il était impératif que je rencontre Bonnaventure.

Je commençai à déambuler sur le port, mais la nuit venait de tomber et il n'y avait plus personne, je refluai donc vers les nombreuses tavernes et tripots rangés les uns à côté des autres face à la mer. Afin de procéder avec méthode, j'entrai dans la première et je demandai à une jeune mulâtre qui déambulait entre les tables en portant des pots d'étain pleins de bière :

— Le capitaine Bonnaventure est là ?

— Pas vu ce soir ! lâcha-t-elle sans s'arrêter.

Je sortis et je pénétrai dans l'établissement suivant où je reposai ma question à une jolie servante souriante.

– Y vient pas chez nous. Ici on ne sert que les bourgeois et les officiers. Mais allez donc au *Chien qui fume*, c'est son quartier général!

Je la remerciai. Sans elle, j'aurais dû écumer tous les bouges de la ville.

Je reconnus sans peine *Le chien qui fume* grâce à l'enseigne de fer forgé pendue au-dessus de la porte. La ruelle sale et malodorante dans laquelle il était situé était déserte. On y entendait de loin les rires stridents des filles, les chants grivois, les éclats de voix, le bruit des chaises raclant le parquet.

Dès que j'ouvris la porte, la fumée, l'odeur de graillon et de bière me suffoquèrent. Afin de m'attirer les bonnes grâces de l'aubergiste, je commandai une pinte de bière et une assiette de poisson puis je cherchai dans l'assistance un perroquet. Je le vis presque aussitôt. Son maître, la pipe aux lèvres, accoudé à une table, semblait perdu dans ses pensées. Mon assiette dans une main, ma chope dans l'autre, je m'approchai et m'assis sans façon en face de lui.

– Jolie bête, affirmai-je en désignant son perroquet.

– C'est pas une bête, c'est Baron. L'est aussi intelligent que ben des hommes.

Il lorgna mon assiette et ma bière. Je saisis l'occasion d'entrer en conversation avec lui.

– Ah, monsieur, je partage votre opinion. Les hommes sont souvent plus bêtes que les bêtes et surtout, plus méchants.

Il posa sur moi un regard bienveillant. Je poussai mon assiette et ma chope devant lui en disant :

– Je serais heureux que vous acceptiez de dîner avec moi. La solitude me pèse. Servez-vous, je vais commander la même chose.

Quelques instants plus tard, les doigts graisseux, nous dévorions le contenu de nos assiettes.

– J'avais une de ces faims ! avouai-je. (Il est vrai que je n'avais rien mangé depuis le matin.)

– Moi aussi, me répondit-il en s'essuyant les mains sur sa panse rebondie.

– Savez-vous que Baron est aussi connu à Cap-Français pour sa conversation que monsieur de La Fontaine à la cour de France ?

Il éclata de rire et demanda à son perroquet de me chanter *Le Prisonnier de Hollande*[1]. Le volatile entonna de sa voix rocailleuse cinq ou six mots du refrain que j'aurais eu beaucoup de mal à reconnaître si Bonnaventure n'avait pas chanté en même temps. J'applaudis, je félicitai le maître et l'oiseau qui tous deux se rengorgèrent.

Mais je n'étais pas là pour écouter chanter un perroquet !

Après lui avoir offert une deuxième pinte de bière, je l'interrogeai d'un ton faussement détaché :

1. Chanson composée sous Louis XIV lors de la guerre contre la Hollande entre 1672 et 1679. Elle est connue maintenant sous le titre *Auprès de ma blonde*.

– On m'a dit aussi que vous connaissiez tout ce qui se passe sur le port ?

– Pour sûr ! J'y suis toute la journée, je donne un coup de main pour charger ou décharger. Faut ben vivre !

– Oui, la vie est dure ! compatis-je avant de reprendre : avez-vous entendu parler des officiers de l'*Esperanza* ?

– L'*Esperanza* ? répéta-t-il.

Il cracha par terre, s'essuya la bouche du revers de sa grosse main velue et poursuivit :

– Les idiots ! Y se sont fait voler leur vaisseau, puis ils sont restés plusieurs semaines sur une île déserte et il a fallu aller les chercher. Y z'étaient pas fiers, vous pouvez me croire ! Leur histoire tout le monde la connaît ici et tout le monde s'en moque. Paraît que c'est un gars nommé le Pirate rouge qu'a fait le coup... Un malin celui-là !

Une vague de fierté me rougit le front. Ainsi donc, le nom que je m'étais donné commençait à devenir célèbre. C'était, somme toute, assez plaisant. Pour l'heure, je ne dévoilai pas mon identité et je questionnai :

– Les officiers sont toujours à Saint-Domingue ?

– Dame non ! Y z'étaient bien trop péteux ! Et un officier qui a perdu son honneur en perdant son navire, il a intérêt à partir loin pour se faire oublier. Ils ont embarqué sur le premier navire en partance pour l'Espagne. C'était il y a un mois... peut-être plus.

– Savez-vous si un nommé Bois-Joli, marquis de son état, est reparti avec… sa fiancée ?

– Y sont tous partis, tous… sous les rires et les quolibets.

Voilà, c'était fini.

Lalie était partie avec son marquis.

J'avais espéré qu'elle serait encore là et qu'à force d'amour, de tendresse et peut-être aussi grâce au collier que je lui aurais offert en lui demandant de m'épouser, elle serait restée. Il était trop tard.

Je me levai, titubant comme si j'avais trop bu.

– Oh, là, monsieur, m'invectiva Bonnaventure, ne partez pas déjà, la nuit ne fait que commencer !

Je lui adressai un geste de la main qui fit s'envoler le perroquet et je sortis dans la rue où je vomis tripes et boyaux sur les pavés tant j'avais le cœur retourné.

4

J'errai sur le port où je finis par m'endormir, le dos appuyé sur un rouleau de cordage à quelques pas de la frégate que Leroux voulait acheter. Au matin, il allait certainement revenir pour conclure la transaction et je lui avouerais mon infortune. Bientôt, nous repartirions ensemble écumer les mers pour capturer d'autres navires. L'action, le danger, la griserie de la richesse, me permettraient d'oublier Lalie.

C'est la main de Leroux secouant mon épaule qui me réveilla :

– Josselin, que fais-tu là ?

Je levai les yeux. Jules l'accompagnait. Tous deux me regardaient avec inquiétude. Je les rassurai :

– Je... je vais bien. À présent, je ne vous importunerai plus avec mes... mes histoires de cœur.

Lalie a quitté Saint-Domingue. C'est terminé, on n'en parle plus.

Je me levai, époussetai mon habit et lançai d'une voix enjouée :

– Alors, on l'achète ce vaisseau ?

Leroux me tapa sur l'épaule.

– Oui. Tu verras, c'est un bon bateau et avec lui on fera de belles prises !

Me souvenant soudain de la promesse que j'avais faite à Samuel, j'annonçai à Jules :

– J'ai des amis ici qui veulent aider les esclaves à retrouver leur liberté. Je leur ai parlé de toi, ils sont prêts à t'accueillir. Une grande révolte se prépare et plus vous serez nombreux, plus elle a des chances de réussir.

– Je serai heu'eux de leur appo'ter mon aide, sauf si tu as v'aiment besoin de moi, Josselin, car c'est à toi avant tout que je dois obéissance.

– Tu es libre Jules, dis-je. Mais tu nous manqueras parce que tu es vaillant. Pourtant, je dois bien te l'avouer, lorsque je te vois, je pense à Lalie et si tu n'es plus à mes côtés, peut-être parviendrai-je à l'oublier plus vite.

– Avant d'embarquer pour de nouvelles aventures, ajouta Leroux, j'ai une faveur à te demander, Josselin.

– Elle est accordée d'avance.

– J'ai été heureux comme boucanier et c'est à Debrest que je le dois. Alors je voudrais me recueillir sur sa tombe.

– C'est juste. Moi aussi, je lui dois tout et bien qu'il me coûte de retourner sur les lieux où j'ai vécu heureux, je t'accompagne dans ce pèlerinage. Jules, je te propose de te joindre à nous. De là-bas tu pourras gagner discrètement la cache des révoltés.

Nous louâmes trois chevaux et nous chevauchâmes de concert, nous éloignant de Cap-Français pour pénétrer dans la forêt en direction de l'emplacement où les boucaniers avaient établi leurs installations. Au fur et à mesure que nous avancions, je reconnaissais les lieux et la tristesse m'envahissait. J'avais été accueilli par ces hommes frustes comme un ami. Et moi que le travail rebutait, j'avais appris sa véritable valeur. Et surtout, j'avais connu Lalune… enfin Lalie. Je serrai les dents pour ne pas me laisser submerger par le désespoir.

J'avais dit à Leroux que je ne voulais plus parler d'elle. Il fallait donc que je la chasse définitivement de ma mémoire pour reprendre le cours normal de mon existence. Mais Dieu, que c'était difficile !

Leroux se souvenait de l'emplacement du petit cimetière où étaient enterrés les boucaniers un peu à l'écart du campement. Il nous y conduisit. Sans lui, je ne l'aurais sans doute pas retrouvé. Nous descendîmes de nos montures que Jules garda.

L'odeur des boucans nous parvenait et aussi les voix rudes des hommes. Je m'attendais à tout moment à les voir surgir, car j'étais certain qu'un guetteur nous avait repérés. Personne ne pouvait s'approcher d'un campement de boucaniers sans être immédiatement arrêté, fouillé et questionné. Ami ou ennemi? Mais peut-être nous avait-on reconnus?

L'émotion m'étreignait et une foule de souvenirs envahirent mon esprit en déroute. En arrivant vers le petit cimetière, Leroux me donna un coup de coude en remarquant :

– Nous ne sommes pas les seuls à rendre hommage à Debrest.

Sa phrase me ramena à la réalité et j'aperçus effectivement une silhouette penchée sur une tombe. Ce n'était pas la silhouette massive d'un boucanier… non. C'était plutôt celle d'une… Mon cœur se mit à battre de façon désordonnée et j'accélérai le pas. Plus j'approchais, plus je tremblais. Bientôt, il n'y eut plus aucun doute. Je voulus crier son nom, mais aucun son ne franchit ma gorge. Pourtant, comme si elle m'avait entendu, elle se retourna. C'était bien elle : Lalie.

Je crois que, pendant une seconde, elle non plus n'en crut pas ses yeux. Elle me fixa, pétrifiée.

De mon côté, j'étais comme paralysé et je ne savais comment réagir.

J'aurais voulu courir vers elle, lui ouvrir grands mes bras pour qu'elle s'y jette, mais il me sembla qu'elle était si choquée qu'il lui était impossible d'esquisser un pas. Et puis qui sait, Bois-Joli était peut-être dans les parages. Car si Bonnaventure m'avait bien affirmé que les officiers étaient partis, il n'avait pas donné de noms et Bois-Joli pouvait très bien être resté à Saint-Domingue par amour pour Lalie. Toutes ces suppositions se bousculaient dans ma tête tandis que j'avançais vers elle.

Lorsque je fus tout près, je lui pris les mains et alors que j'avais tant de questions à lui poser, tant de choses à lui dire, je m'adressai à elle comme si elle n'avait été qu'une vague connaissance et je prononçai cette phrase idiote :

– Comment vas-tu ?

– Bien, et toi ?

– Oh, moi, sans toi, je ne peux qu'aller mal.

– On conte pourtant partout les exploits du Pirate rouge qui a capturé l'*Armadilla*. Il fallait que tu sois en pleine possession de tes moyens pour réussir une prise pareille.

Je sentis de l'amertume dans sa voix.

Qu'avait-elle imaginé ? Que j'allais abandonner la flibuste et me morfondre dans l'espoir de son retour ? Une sourde colère monta en moi et je lui rétorquai :

– Et toi, es-tu devenue marquise comme tu en rêvais ?

Son menton trembla et ses yeux s'embuèrent de larmes. Je regrettai aussitôt mon ton agressif.

– Excuse-moi, Lalie, repris-je, je n'ai pas voulu te blesser. Tu as choisi l'homme que tu voulais épouser et je n'ai pas le droit de t'adresser de reproches.

Mais ses larmes ne tarirent pas, au contraire. Je l'attirai contre moi pour la réconforter tandis que Leroux s'éloignait discrètement.

– Bois-Joli est parti. Seul, balbutia-t-elle. C'est… c'est un goujat !

Je l'aurais parié ! Ce petit marquis ne m'avait jamais inspiré confiance.

– Tant que nous étions sur l'île déserte, il était prévenant, bien élevé et m'a fait plein de promesses… Tout cela pour que je lui cède. Dès que nous avons débarqué à Saint-Domingue, il n'a eu de cesse de trouver un embarquement et ne s'est plus soucié de moi !

– Le malotru !

– Et le pire, c'est qu'il m'a avoué qu'il était marié, qu'il avait des enfants et qu'il n'était pas question que je l'accompagne sur le continent.

– Le traître !

– C'était la première fois qu'un homme de sa condition s'intéressait à moi, j'étais grisée… Il m'a fait rêver à une autre vie.

– Tu n'es pas fautive, ces hommes-là sont redoutables.

– Oh, si, je suis fautive ! J'ai été par trop naïve.

Ses pleurs reprirent de plus belle et, entre deux sanglots, elle ajouta :

– D'autant que je me suis vite rendu compte que cette vie était ennuyeuse à mourir. La poésie, la musique, la danse, ce n'est pas pour moi… J'ai besoin d'action, d'aventures…

– Calme-toi. Maintenant c'est fini. Il est parti et tu ne le reverras jamais.

Loin de l'apaiser, cette phrase redoubla l'intensité de ses sanglots et elle bredouilla :

– Au contraire, tout est perdu. J'ai détruit l'amour que tu me portais et ça... jamais, jamais je ne me le pardonnerai.

– Tu as tort. Parce que moi, je te pardonne.

– Tu... tu me pardonnes ?

– Oui, parce que je t'aime plus que tout au monde, Lalie, et que sans toi ma vie n'a pas de sens.

– Alors, tu veux bien encore de moi ?

– Si tu souhaites une vie d'aventures, je suis l'homme qu'il te faut.

Je bombai le torse pour l'amuser. Elle rit de ce rire frais que j'aimais tant. Je dénouai le foulard rouge qui ne m'avait pas quitté et je le lui passai au cou.

– Voilà, tu redeviens un Pirate rouge. À nous deux, nous allons dévaliser tous les vaisseaux de la mer des Caraïbes.

Un instant, je pensai au collier de perles enfoui au fond de ma poche. J'aurais pu le lui offrir, mais je pensais que le foulard était un symbole plus fort.

Lorsqu'elle me tendit ses lèvres, je me dis que je ne m'étais point trompé.

TABLE DES MATIÈRES

Retrouvez Agathe,
la sœur de Josselin,
dans

Sorcière blanche

L'AUTEUR

Anne-Marie Desplat-Duc habite dans les Yvelines avec son mari et occupe ses journées à écrire, écrire, écrire, car elle a des idées de romans plein la tête. C'est une passionnée d'histoire qui aime se promener dans les siècles passés ; en ce moment c'est l'époque de Louis XIV qui a ses faveurs.

Pour mieux connaître ses lecteurs, Anne-Marie Desplat-Duc les rencontre dans leurs classes très souvent.

Elle a publié plus de soixante romans : des romans drôles, des romans sur la vie de tous les jours, des romans historiques, des romans d'aventure... Vous pouvez en voir la présentation sur son site Internet :
http://a.desplatduc.free.fr

☁ L'ILLUSTRATEUR

Raphaël Gauthey est né à Paris en 1976. Depuis ses études à l'école Émile-Cohl, il vit à Lyon. Après avoir travaillé plusieurs années dans les jeux vidéo en tant qu'infographiste et animateur, il se consacre à l'illustration, principalement en littérature jeunesse. Il réalise des albums, des couvertures de romans, des dessins pour la presse jeunesse et collabore à des éditions étrangères.
Curieux et éclectique, Raphaël Gauthey rêve de continuer à faire de l'animation en 3D, et s'est lancé dans la bande dessinée.

Retrouvez la collection

Rageot Romans

sur le site www.rageot.fr

RAGEOT s'engage pour l'environnement en réduisant l'empreinte carbone de ses livres. Celle de cet exemplaire est de :

640 g éq. CO_2

Rendez-vous sur www.rageot-durable.fr

PAPIER À BASE DE FIBRES CERTIFIÉES

Achevé d'imprimer en France en novembre 2012
sur les presses de l'imprimerie Hérissey
Dépôt légal : novembre 2012
N° d'édition : 5808 - 04
N° d'impression : 119681